L. ORIOLO - D. AUST - M. GAL

COME LEGGERE

ascoltare
parlare
scrivere

GUERRA EDIZIONI

3.   2.
1999   98   97   96

© 1995 - Guerra Edizioni - Perugia
Tutti i diritti riservati sia del testo che del metodo

Fotocomposizione e stampa: Guerra guru s.r.l. - Perugia

COME LEGGERE

Argomenti trattati: *servizi, animali, tempo libero, lavoro, criminalità, ambiente, vacanze, cibo e bevande, scuola, salute.*

UNITÀ	ABILITÀ	STRUTTURE	FUNZIONI
Unità 1 * *Il telefono come e quando*	Porsi domande Inferire	Tu/Lei	Chiedere e dare informazioni Presentare i risultati di un'inchiesta
Unità 2 * *Non abbandoniamoli!*	Skimming	Tu/Lei Imperativo diretto Imperativo indiretto	Dare consigli Dare ordini
Unità 3 * *L'estate all'insegna dello sport!*	Anticipare Inferire	Avverbi di quantità Aggettivi di quantità	Convincere a fare qualcosa Dire ciò che piace/non piace Dare istruzioni
Unità 4 * *Chi lavora e chi no*	Scanning	Indicativo presente Congiuntivo presente Aggettivi indefiniti	Chiedere informazioni Dare informazioni
Unità 5 * *La casa in cassaforte*	Scanning Inferire	Tu/Lei	Scusarsi Esprimere stati d'animo Dare consigli
Unità 6 * *Gli italiani e la TV*	Anticipare	Avverbi di quantità Aggettivi di quantità	Riferire opinioni Esprimere preferenze
Unità 7 ** *Caccia al tesoro*	Scanning	Passato prossimo	Raccontare un avvenimento
Unità 8 ** *Scuolambiente*	Porsi domande	Articoli determinativi	Interpellare Presentare i risultati di un'inchiesta
Unità 9 ** *Naturalmente*	Scanning Anticipare	Tu/Lei Condizionale	Dare ordini Dare consigli
Unità 10 ** *L'ora dei villaggi...*	Scanning	Preposizioni semplici Pronomi relativi	Discutere vantaggi e svantaggi di qualcosa. Spiegare qualcosa

Unita 11 ** *Ferie di solidarietà*	Scanning	Futuro semplice (si) passivante (si) impersonale	Discutere un argomento di attualità
Unità 12 ** *Scolaresche al super- market*	Skimming Scanning	Forma passiva	Dare consigli Accettare/Rifiutare
Unità 13 ** *Per preparare gli esami*	Porsi domande Anticipare	Congiuntivo presente Periodo ipotetico Imperativo	Chiedere consigli Dare consigli Dare ordini
Unità 14 ** *Esami molta verdura*	Inferire Riconoscere la funzione dei connettivi	Pronomi relativi	Esprimere accordo Esprimere disaccordo Parlare di abitudini passate e presenti
Unità 15 ** *Biblioteche contro la noia d'estate*	Migliorare la velocità di lettura Scanning - Anticipare	Preposizioni semplici Preposizioni articolate	Consigliare Presentare un libro
Unità 16 ** *S'io fossi Babbo Natale*	Porsi domande Scanning	Congiuntivo imper- fetto - Periodo ipotetico	Esprimere desideri Intervistare Formulare ipotesi
Unità 17 *** *Lo spot delle 23 non perdona*	Porsi domande Scanning Inferire	Preposizioni articolate	Discutere vantaggi e svantaggi di qualcosa
Unità 18 *** *Compiti in vacanza...*	Skimming Scanning	Preposizioni semplici Preposizioni articolate	Esprimere opinioni Convincere/Persuadere
Unità 19 *** *Spezia brucia. Chi la incendia?*	Dare uno sguardo d'insieme Anticipare	Gerundio Congiunzioni	Raccontare un'esperienza Riferire un avvenimento Discutere cause e conseguen- ze di un fenomeno

NOTE:

● Skimming = Scorrere velocemente il testo per coglierne l'essenziale.
● Scanning = Esaminare velocemente il testo per individuare informazioni particolari.
● Gli asterischi = indicano i gradi di difficoltà

GUIDA PER L'INSEGNANTE

Questo libro si rivolge a studenti di italiano a livello intermedioavanzato. Anche se l'obiettivo principale di *Come leggere* è quello di sviluppare le abilità di lettura dello studente, questo non può avvenire isolatamente; per tale ragione non vengono mai trascurate anche le altre abilità (ascoltare, parlare, scrivere). Ogni unità è incentrata su un articolo di un quotidiano o di una rivista e tutte le attività ruotano intorno a quel testo.

Il lavoro di ricerca, di selezione del materiale e di scelta degli argomenti da trattare ha richiesto una riflessione approfondita: i testi sono in generale brevi e quindi più facilmente utilizzabili in classe e i temi trattati riguardano direttamente o indirettamente la vita quotidiana. Si è cercato di graduare il materiale didattico in base al livello di difficoltà dei testi e delle attività suggerite.

Spetterà comunque all'insegnante decidere quando le diverse unità saranno accessibili ai suoi studenti. Le unità sono indipendenti le une dalle altre e non devono necessariamente essere svolte in sequenza, così come non è necessario svolgere tutte le attività presentate. Infine, anche se molte attività richiedono il coinvolgimento attivo di due o più studenti, le chiavi degli esercizi permetteranno, se necessario, il lavoro individuale.

Le unità sono, in generale, articolate secondo il seguente schema:

Prelettura

Questa sezione ha lo scopo di creare aspettative e di motivare gli studenti alla lettura. Anche se ogni studente può riflettere individualmente sulle domande poste, è possibile, se e quando l'insegnante lo ritiene opportuno, permettere la discussione e lo scambio di idee tra gli studenti.

Qualche volta questa prima parte viene integrata dall'attività "Tu e gli altri" che richiede espressamente uno scambio di informazioni e di opinioni tra gli studenti.

Lettura

In questa sezione, gli studenti saranno coinvolti in attività varie per sviluppare soprattutto le abilità di comprensione della lingua scritta. Si cercherà in particolare di sollecitarli a: migliorare la velocità di lettura; porsi domande prima e durante la lettura; inferire; anticipare; dare uno sguardo d'insieme; scorrere velocemente il testo per coglierne l'essenziale; esaminare velocemente il testo per individuare determinate informazioni.

Lessico

A questo livello, è essenziale l'acquisizione di una sempre maggiore padronanza lessicale, per essere in grado di discutere in modo approfondito una varietà di argomenti.

Questa sezione permetterà agli studenti di concentrare nuovamente la loro attenzione sui vocaboli più significativi incontrati nel testo e darà loro l'opportunità di assimilarli.

Il Dubbio

In questa sezione si fa riferimento soprattutto alle strutture grammaticali e alla correttezza ortografica. Gli studenti dovranno scegliere tra una versione corretta e una sbagliata. Questa attività fornisce l'opportunità di rivedere in contesto e di discutere in coppia o con l'insegnante aspetti importanti della lingua. Gli esercizi sono basati su alcuni dei più comuni tipi di errori.

Strutture

Le strutture scelte sono quelle più usate nel testo e gli esercizi offrono l'opportunità sia di consolidare quelle già acquisite sia di praticare nuove strutture in un dato contesto. Studiare le strutture fondamentali della lingua in un contesto e non isolatamente facilita l'acquisizione delle stesse.

Le scelte linguistiche all'interno dei vari esempi hanno lo scopo di esporre gli studenti il più possibile alla lingua del testo autentico. Questo è centrale a tutte le attività e agli obiettivi generali del presente volume: una maggiore familiarità con la lingua e le strutture del testo produrranno l'auspicabile impennata nella curva dell'apprendimento degli studenti.

Postlettura

Questa attività di solito si svolge sotto forma di role-play o di discussione e fornisce l'opportunità ideale, dopo le necessarie esercitazioni, di mettere in pratica le nuove conoscenze acquisite in modo produttivo attraverso il coinvolgimento in attività più aperte. Una caratteristica del libro è quella di fornire una consistente scelta di parole ed espressioni utili per permettere a tutti gli studenti di esprimere le loro idee e di comunicare in diversi contesti.

Naturalmente gli studenti non dovranno imparare o usare tutte le espressioni presentate ma selezionare quelle più appropriate ai loro bisogni comunicativi.

L'esperienza dimostra che gli studenti hanno la necessità di ripassare continuamente determinate espressioni per rafforzare la loro padronanza comunicativa e per sviluppare, nello stesso tempo, la fluenza.

Tanto più si eserciteranno ad usare tali espressioni tanto prima queste entreranno a far parte del loro repertorio linguistico.

E' importante analizzare le varie parole ed espressioni con gli studenti e fornire alcuni esempi per assicurarsi che esse vengano capite ed usate in modo appropriato.

Scrittura

Questa attività finale offre la possibilità di esprimere per iscritto un'opinione o di trattare un argomento che è stato ampiamente affrontato in precedenza. Anche in questo caso viene proposta una varietà di lavori scritti tra i quali: la lettera, la cronaca, la relazione, ...

Attività supplementari

Alcune unità si concludono con attività supplementari con lo scopo di permettere un'ulteriore pratica. Gli autori sono pienamente consapevoli che l'eccessiva richiesta di esercitazioni può comportare una perdita di interesse per l'argomento trattato e ciò è senz'altro da evitare. Per questa ragione le attività supplementari hanno lo scopo di aiutare coloro che desiderano approfondire un argomento o avere la possibilità di acquisire maggiore consapevolezza nell'uso di determinate strutture.

Conclusioni

Le attività presentate in ogni unità sono illustrate nel modo più semplice e più chiaro possibile; inoltre, la varietà è sufficiente per sfruttare appieno il testo di lettura. Ciononostante, gli autori ritengono utile suggerire, dove possibile, alcune attività che gli insegnanti potrebbero utilizzare in determinate situazioni didattiche (in base alla situazione reale della classe, ai bisogni comunicativi degli studenti, al tempo a disposizione e per individualizzare il più possibile l'insegnamento).

Gli studenti dovrebbero essere incoraggiati a cercare di capire dal contesto il significato delle parole che non conoscono e, quando necessario o suggerito dall'insegnante, dovrebbero abituarsi ad usare il dizionario monolingue.

E' preferibile usare il più possibile la lingua italiana e non tradurre, invogliando gli studenti che conoscono la parola o l'espressione in questione a spiegarla in italiano agli altri.

Postlettura

A. (p. 7) - Gli studenti dovrebbero intervistare un numero adeguato di compagni così da avere sufficienti informazioni per completare l'attività B.

E' importante preparare bene gli studenti, creando una certa aspettativa e evidenziando l'aspetto ludico dell'attività (lo studente che diventa giornalista e che deve...) per evitare essi si demotivino dopo le prime interviste. Una valida strategia perché ciò non avvenga, potrebbe essere quella di chiedere agli studenti di passarsi le informazioni ricevute da altri. Così facendo, si aggiunge una nuova dimensione all'attività (es: Ho intervistato Sandra e mi ha detto che ...). Questa strategia risulta particolarmente utile quando la disposizione della classe non facilita il movimento.

Dopo aver completato l'intervista, si potrebbe stimolare una più utile conversazione generale, invitando gli studenti a discutere in modo approfondito alcune domande del sondaggio, in particolare le prime quattro, da "Che cosa rappresenta per te il telefono?" a "Quante telefonate ricevi ogni giorno?"

Utilizzando un cartellone o la lavagna luminosa, si potrebbero ricordare agli studenti alcune parole ed espressioni utili (ad esempio: e, poi, dopo, inoltre, anche, ma, tuttavia, comunque, per esempio cioè, come, quindi, perciò, invece, infine, generalmente, spesso, qualche volta, mai, quasi mai, sempre, ogni giorno/settimana/ mese/anno, una volta al giorno, ogni tanto, alcune volte, di tanto in tanto,...)

Un'altra attività potrebbe essere quella di dividere la classe in gruppi di 3/4 studenti. Ogni gruppo fa un brainstorm sui possibili vantaggi del telefono (e/o del cellulare). E' necessario fissare un tempo limite (es. 3/5 minuti).

Ognuno nel gruppo scrive la lista dei vantaggi individuati. Poi si riformano i gruppi (questo può essere fatto, dopo aver assegnato ad ogni studente dei vari gruppi una lettera, A B C D, mettendo insieme tutti gli studenti dei vari gruppi con la lettera A, poi quelli con la lettera B, ecc.). I nuovi gruppi possono confrontare le loro liste e completarle.

All'interno dei vari gruppi, gli studenti dovrebbero essere incoraggiati a discutere, approfondendo, i vantaggi individuati (es.: Secondo me, il telefono è utilissimo in casi di emergenza: per esempio, se un familiare si ammala ...)

B. (p. 8) - Può essere svolto anche per iscritto .

Strutture

(p. 9) - L'esercizio scritto potrebbe essere preceduto da un veloce scambio orale di battute che costringano lo studente a passare velocemente dal tu al Lei, come negli esempi.

Esempi:	Insegnante	- Cosa desideri?
	Studente	- Cosa desidera?
	Insegnante	- Venga a trovarmi!
	Studente	- Vieni a trovarmi!
	Insegnante	- Non ti preoccupare!
	Studente	- Non si preoccupi!

La prelettura può essere fatta sia individualmente sia in coppia sia in gruppo.
Questa flessibilità può essere mantenuta per ogni unità, quando nella prelettura vengono poste delle domande.

Prima della prelettura, si può chiedere agli studenti di osservare l'illustrazione (p. 12) e di formulare alcune ipotesi sul contenuto dell'articolo.

Lessico
B. (p. 13) - Come già accennato, gli studenti dovrebbero essere sollecitati a ricorrere al dizionario monolingue.

Scrittura
"Immagina di essere un cane o un gatto che viene abbandonato durante le vacanze. Scrivi una lettera ad un giornale descrivendo esattamente quello che è successo e il tuo stato d'animo."

Bisognerebbe incoraggiare gli studenti ad usare la loro immaginazione e a sfruttare in modo creativo una situazione comico-tragica. Gli studenti potrebbero concludere la lettera chiedendo consigli ai lettori del giornale. Le lettere potrebbero essere esposte in classe e ogni studente potrebbe scegliere una lettera alla quale rispondere.

Il dubbio
(p. 19) - Come accennato nella parte introduttiva, questa attività potrebbe essere utilizzata per riflettere su alcune strutture della lingua italiana (gli indefiniti, le doppie consonanti, i nomi maschili che terminano in -a, l'uso dell'apostrofo, gli aggettivi e i pronomi indefiniti, ...).

Postlettura
(p. 20) - Prima di iniziare il role-play, gli studenti devono cercare di scoprire a vicenda quali sono gli sport che non amano. Non sarebbe realistico cercare di convincere qualcuno a praticare uno sport che già pratica o che vorrebbe praticare.

Scrittura
(p. 20) - Per questa attività, gli studenti potrebbero consultare i giornali locali, le guide turistiche e i dépliant pubblicitari della zona. Nella fase di preparazione, potrebbero anche discutere il progetto con i loro familiari e con gli amici per raccogliere il maggior numero possibile di idee prima della stesura provvisoria del programma. Le varie stesure potrebbero essere esposte in classe per permettere agli studenti di scegliere le idee migliori e di preparare quindi il programma definitivo.

Attività supplementari
(p. 21) - Siccome l'attività B richiede un po' di tempo per raccogliere le idee e per scrivere una scaletta che agevoli la spiegazione orale, gli studenti potrebbero preparare questa attività a casa.

Lessico

Molti esercizi di lessico possono facilmente essere trasformati in un gioco motivante e divertente per studenti di tutte le età.

(p. 25) - Questa attività, ad esempio, può essere svolta nei seguenti modi.

1. Il mazzo di carte delle professioni.
- Si possono preparare alcuni mazzi di carte (tanti quanti sono i gruppi che si vogliono formare) .
- Su ogni carta, l'insegnante scriverà il nome di una professione.
- La classe verrà divisa in gruppi che si raccoglieranno intorno ad un banco.
- Sui diversi banchi verrà messo il mazzo di carte girato (gli studenti non devono vedere lo scritto).
- Ogni studente del gruppo, a turno, girerà una carta e cercherà di formulare la definizione in italiano della professione scritta su quella carta (es. fruttivendolo = una persona che vende frutta).
- Se la definizione verrà accettata dal gruppo, il giocatore guadagnerà un punto. In caso contrario la carta verrà messa sotto il mazzo e si continuerà il gioco fino a quando tutte le carte saranno scoperte;
- Alla fine del gioco l'esattezza delle definizioni verrà verificata con l'insegnante.

2. Il gioco degli zeri e delle croci.

Esempio:

X	X	O
	O	
O		X

- Si mette un mazzo di carte sulla cattedra.
- Su ogni carta l'insegnante avrà scritto il nome di una professione. Si divide la classe in due gruppi (A e B).
- Il gruppo A può essere la X e il gruppo B lo O.
- Uno studente del gruppo A gira una carta e, dopo essersi consultato con i compagni per non più di 10 secondi, formula la definizione della professione.
- Se la definizione è accettabile, il gruppo A può inserire la X nello schema, disegnato alla lavagna o su un foglio (vedi esempio).
- Tocca quindi al gruppo B che, se indovina, può inserire lo O nello schema.
- Il gioco viene vinto dal gruppo che riesce per primo ad allineare nello schema tre X o tre O (verticalmente, orizzontalmente o diagonalmente) .

3. Il mimo.

Per una classe più interessata alle attività di drammatizzazione, si può preparare un mazzo di carte delle professioni.
- Uno studente prende una carta e mima la professione indicata dalla carta.
- Gli altri possono fare delle domande alle quali lo studente può rispondere solo con la mimica.
- Chi indovina prende un'altra carta e mima la nuova professione.

Questa attività può essere molto divertente e nello stesso tempo molto produttiva a livello di lingua orale.

Conversazione

A coppie.

Ogni studente pensa ad una professione che vorrebbe fare e ad una che non vorrebbe fare.

Gli studenti cercano quindi di motivare le loro scelte e si scambiano poi opinioni sulle diverse professioni .

Potrebbero, inoltre, parlare, il più dettagliatamente possibile, di un lavoro che hanno fatto o visto fare.

Scrittura

C. (p. 27) - Dopo aver scritto il proprio curriculum e la lettera di accompagnamento, la classe può essere divisa in due gruppi. Gli studenti del primo gruppo dovranno sostenere un colloquio per essere assunti e quelli del secondo gruppo formuleranno le relative domande. Mentre questi ultimi esamineranno i vari curriculum vitae per preparare le domande, i candidati, partendo da quello che hanno scritto nei loro curriculum vitae, cercheranno di anticipare le domande che potrebbero venir fatte loro e prepareranno le eventuali risposte.

Unità 5

Strutture

(p. 32) - E' importante che gli studenti eseguano queste trasformazioni prima di passare al role-play, nel corso del quale devono usare la forma di cortesia.

Role-play

(p. 33) - La classe può essere divisa in coppie. I singoli studenti potrebbero preparare la loro parte a casa. Se ciò non è possibile, devono avere a disposizione, in classe, un tempo sufficiente per prepararsi.

Lo studente A deve scrivere una lista di oggetti di valore e preparare una dettagliata descrizione del ladro. Per facilitare questo lavoro, l'insegnante potrebbe dare agli studenti una fotografia da descrivere e il poliziotto potrebbe anche mostrare loro alcune foto segnaletiche.

Un'altra utile attività per la produzione orale è quella di trovare alcuni articoli di giornale su argomenti simili nella lingua madre dello studente. Gli studenti potrebbero mettere in pratica le conoscenze acquisite in questa unità, riassumendo in italiano i punti principali di un articolo a scelta.

Potrebbe essere interessante trovare due articoli sullo stesso argomento, tratti da due diversi giornali, e chiedere agli studenti di lavorare in coppia, di riassumere il contenuto degli articoli e di discutere eventuali differenze.

In alternativa, si potrebbero raccogliere altri articoli in italiano sullo stesso argomento. Come approfondimento, gli studenti, lavorando in coppia, possono riassumere i rispettivi articoli al partner. La preparazione di questa attività potrebbe essere svolta come compito a casa. Tale tipo di attività permetterà agli studenti di riutilizzare le parole e le espressioni più importanti imparate nell'unità didattica.

Unità 6

In questa unità gli studenti possono essere invitati a comunicare le informazioni che hanno raccolto (vedi suggerimenti Unità 1A).
Per fare questo, devono scrivere il nome delle persone intervistate all'inizio della colonna, sopra il numero (es. Marco mi ha detto che ...).
Per permettere agli studenti di trattare in modo approfondito alcuni punti del questionario e di prendere appunti, si potrebbe dividere la classe in 4/5 gruppi per discutere, ad esempio, le prime quattro domande. Dopo aver completato questa fase, la classe si ridivide in gruppi e prosegue l'attività così come suggerito nell'ultimo capoverso dell'Unità 1.
Gli studenti dovrebbero cercare di riutilizzare il maggior numero di parole ed espressioni utili, indicate a p. 39.

Scrittura
Un'altra attività di scrittura potrebbe essere quella di produrre uno scritto breve per esprimere le proprie idee, in risposta ad una delle domande poste nel questionario.

Unità 7

Lettura
(p. 41) - In quasi tutte le unità, la lettura potrebbe essere svolta anche nel seguente modo. Uno studente, dopo aver letto velocemente un articolo, ne espone il contenuto al partner che può fare il suggeritore, leggendo, se necessario, passi dell'articolo. In alternativa, lo studente, prima di esporre, può preparare una scaletta o annotare alcune parole-chiave.

Strutture
(p. 43) - A questo livello, gli studenti dovrebbero sapere che la maggior parte dei verbi usati in modo intransitivo, richiede il verbo essere e non il verbo avere. Se necessario, si potrebbero fornire altri esempi per approfondire questo punto (es.: Ho migliorato il mio italiano. Il mio italiano è migliorato. Ho cambiato vita. La mia vita è cambiata).

Postlettura
(p. 45) - Gli studenti potrebbero preparare questa attività a casa.
Per fare in modo che gli studenti parlino di varie manifestazioni (estive/invernali/sportive/ culturali/ gastronomiche/ musicali...), sarebbe più motivante dare la possibilità di lavorare in coppia e di cambiare il partner.

Scrittura
(p. 46) - Alcune lettere potrebbero essere esposte in classe così che possano essere lette, corrette e discusse dagli studenti.

Prelettura
A. (p. 47) - Questo esercizio potrebbe essere svolto a casa per consentire agli studenti più tempo per riflettere e rispondere alle domande, prima di passare all'attività B.

Postlettura
(p. 48) - Intervistando qualcuno al di fuori della propria classe, gli studenti: 1) sono costretti a tradurre le domande e le informazioni importanti per coloro che non conoscono l'italiano; 2) hanno la possibilità di venire a conoscenza di opinioni più varie, che possono poi discutere in classe; 3) devono comunicarle alla classe in italiano.
Potrebbe risultare utile anche uno scambio di informazioni con una classe in Italia - vedi attività supplementari.
Per procurarsi materiale utile di ascolto, si potrebbe chiedere ai corrispondenti italiani di registrare su cassetta i loro punti di vista.

Strutture
(p. 51) - Lo scopo di questo esercizio è quello di praticare l'uso corretto dell'articolo determinativo in un contesto con il quale gli studenti hanno familiarità.
 Se si desidera utilizzare un altro contesto, per assicurarsi che tutti gli studenti abbiano compreso il corretto uso dell'articolo, si può prendere un testo e cancellare gli articoli determinativi e chiedere agli studenti di reinserirli.

Il dubbio
(p. 51) - Questa attività potrebbe essere utilizzata come momento di riflessione su alcune strutture della lingua italiana (il plurale degli aggettivi e dei nomi, le preposizioni articolate, l'importanza di sentire la doppia consonante (es. elettrica e non eletrica, pubblico e non publico, ecc.).

Ricerca di parole
(p. 52) - E' un'attività divertente che, nello stesso tempo, offre agli studenti la possibilità di concentrarsi sui vocaboli più utili, relativi all'argomento trattato in questa unità.

Conversazione
1. Chiedere ad ogni studente di scrivere una lista dei materiali da eliminare, presenti generalmente nelle loro case (es. vecchi giornali, bottiglie di plastica e di vetro, lattine, vecchi vestiti, pile, medicinali scaduti, sacchetti di plastica, ecc.). Dividere la classe in gruppi di 3/4 studenti e chiedere loro di scambiarsi informazioni, idee e consigli.

2. Condurre un breve sondaggio per verificare ciò che ogni studente fa per proteggere l'ambiente. La domanda numero 5 del questionario (p. 50) potrebbe servire come base per questa attività. Le informazioni raccolte potrebbero essere utilizzate per scrivere una breve relazione sui risultati del sondaggio.

Unità 9

Tu e gli altri
(p. 53) - Dopo aver dato circa 5 minuti per riflettere e annotare il maggior numero di idee, potrebbe essere utile riassumerle con tutta la classe, chiedendo prima ad uno studente di ogni gruppo di scriverle alla lavagna. In alternativa si può chiedere agli studenti di formare nuovi gruppi per scambiarsi le informazioni e di aggiungere alle loro liste le idee nuove. Per la formazione dei nuovi gruppi si potrebbero seguire le modalità suggerite nella prima unità.

Lessico
(p. 57) - Lo scopo di questo esercizio è quello di fare riflettere sui verbi che si usano insieme a determinati nomi.
Un esercizio supplementare per approfondire la riflessione potrebbe consistere nel chiedere agli studenti di cercare, usando un dizionario monolingue/bilingue, altri contesti in cui si possono usare questi verbi.

Strutture
(p. 57) - Questo esercizio offre la possibilità di ripassare l'imperativo e, in un determinato contesto, il congiuntivo. L'esercizio contiene un'ampia varietà di verbi, alcuni dei quali richiedono cambiamenti ortografici (es.: recati - si rechi, cerca - cerchi, raccogliere - raccolga).
Una rapida esercitazione orale dovrebbe aiutare gli studenti a passare velocemente dal tu al Lei e viceversa (es.: dimmi - mi dica, vieni - venga, entri - entra, esca - esci, ecc.).

Postlettura
(p. 58) - Ecco un'altra possibilità per gli studenti di impegnarsi in un progetto. I gruppi potrebbero affrontare argomenti diversi, così da introdurre una maggiore varietà.

Unità 10

Tu e gli altri
(p. 59) - Lasciare agli studenti 5 minuti circa per pensare al maggior numero possibile di vantaggi e svantaggi, prima di iniziare la discussione. Per raccogliere più idee, gli studenti potrebbero lavorare in gruppi di 4.

Lettura
(p. 60) - Gli studenti dovrebbero cercare di capire l'informazione principale dei rispettivi articoli senza soffermarsi troppo sui vocaboli sconosciuti. Gli studenti avranno la possibilità di farlo nella sezione del lessico.

Strutture
(p. 62) - L'uso delle preposizioni è complesso in quasi tutte le lingue. E' necessario, perciò, praticarle. A tale scopo si potrebbe scegliere un articolo interessante e cancellare le preposizioni, che gli studenti dovranno reinserire (vedi Unità 8, Strutture). In questo caso, è necessario stabilire esattamente lo scopo dell'esercizio (es.: si cancellano le preposizioni seguite dai verbi, dai nomi, dagli aggettivi, ecc. o si prepara un esercizio "misto").

Un'attività supplementare potrebbe essere quella di fare scrivere agli studenti alcune frasi, contenenti un verbo/nome, ecc. + la preposizione per consolidare il lavoro fatto.

Scrittura
(p. 63) - Gli studenti dovrebbero rileggere gli articoli prima di affrontare lo scritto e potrebbero utilizzare i termini e le espressioni che hanno incontrato nel testo.

Attività supplementare
B. (p. 63) - In questo esercizio viene presentata una delle tecniche che facilitano la memorizzazione di nuovi vocaboli. Gli studenti potrebbero preparare uno schema simile per i vari argomenti trattati nel corso dell'anno scolastico. Ogni volta che dovranno ripassare, discutere o scrivere qualcosa su un determinato argomento, avranno a disposizione una serie di schemi di facile consultazione. Questi schemi possono essere aggiornati continuamente.

Unità 11

Prelettura
(p. 65) - Queste semplici domande possono offrire lo spunto per una conversazione sulle vacanze. Si potrebbe impostare l'attività in modo che vengano praticati oralmente il passato prossimo o il futuro (es.: Dove sei andato in vacanza l'anno scorso? Dove andrai quest'estate? Che cosa ha fatto ...? Che cosa farai ...?). Per agevolare gli studenti, si potrebbe scrivere alla lavagna una lista di verbi utili (es. nuotare, passeggiare, giocare, ballare, fotografare, mangiare, bere, pranzare, cenare, aiutare, avere, guardare, ascoltare, studiare, visitare, scrivere, incontrare, leggere, uscire, andare, partire, tornare, rimanere, divertirsi, annoiarsi, ecc.).

Lettura
(p. 65) - E' necessario rispettare il tempo limite. L'abilità di lettura veloce di un testo deve essere sollecitata e potenziata.

Lessico
(p. 65) - Gli studenti dovrebbero esercitarsi, quando possibile, a modificare la struttura della frase, mantenendone intatto il significato originale (es.: utilizzare un verbo al posto di un nome). Questo agevolerà poi gli studenti sia a livello di produzione, sia, e soprattutto, a livello di comprensione.
Questi tipo di attività, che può essere svolta con qualsiasi testo quando gli studenti riconoscono un nome derivato da un verbo e viceversa, offre agli studenti la possibilità di acquisire maggiore padronanza del lessico. (Vedi anche Unità 7, Attività supplementari, p. 46).

Dopo aver letto un testo, gli studenti potrebbero preparare delle liste di sostantivi e di verbi.

Es.:	Sostantivi	Verbi
	finanziamento	finanziare
	studio	studiare

Dopo averli ripassati per pochi minuti, potrebbero, in coppia, interrogarsi a vicenda per verificare quanti ne ricordano. Per esempio, lo studente A legge la colonna dei sostantivi e lo studente B deve dire i verbi corrispondenti e viceversa.

Strutture
B. (p. 67) - E' opportuno che gli studenti, prima di iniziare l'attività, leggano attentamente le note.

Lettura
A. (p. 72) - In alternativa all'attività proposta nel libro, gli studenti potrebbero lavorare in coppia. Lo studente A completa i primi due spazi (protagonisti e tipo di iniziativa), e lo studente B completa gli altri due spazi.
Poi si scambiano le informazioni. E' meglio fissare un tempo limite, in modo che gli studenti siano costretti a leggere velocemente il testo.

B. (p. 72) - Gli studenti possono lavorare individualmente e confrontare poi con il partner le rispettive informazioni.

Strutture
A. (p. 74) - Bisognerebbe abituare gli studenti ad individuare e correggere gli errori. Sarebbe utile proporre regolarmente questo tipo di esercizio. Si potrebbe ricorrere ad un breve testo, usato in precedenza con gli studenti, e riscriverlo o riassumerlo, inserendo ogni tanto alcuni errori tipici degli studenti. Il compito degli studenti, individualmente o in coppia, sarà quello di individuarli e correggerli. Questi errori volontari potrebbero riguardare anche aspetti della lingua appena trattati; in questo caso, l'attività potrebbe avere anche una funzione di verifica.

B. (p. 75) - Lo studente dovrebbe essere in grado di trasformare la forma attiva in passiva e viceversa. Quest'abilità può agevolare la comprensione di determinati testi scritti.
Dopo aver spiegato la forma passiva e dopo aver svolto l'esercizio proposto nel libro, l'insegnante potrebbe proporre agli studenti la lettura di brevi articoli di giornale e chiedere loro di sottolineare le forme passive. Questo permette da una parte di consolidare le conoscenze degli studenti e dall'altra di verificarne l'apprendimento.

Role-play
(p. 76) - Se necessario, nella fase di preparazione, si può chiedere allo studente A di fare riferimento soprattutto alla propria esperienza e, in un secondo tempo, all'articolo introduttivo. Lo studente B dovrebbe invece riflettere sulle sue abitudini alimentari e sul suo eventuale, o presunto, disinteresse per una sana alimentazione (es. Mangio regolarmente: patatine, dolci, caramelle, niente o poca frutta, poca verdura, prodotti comparsi almeno una volta in TV, ecc.).

Unità 13

Lessico
(p. 79) - Gli studenti dovrebbero usare un dizionario monolingue e, solo se indispensabile, uno bilingue per controllare le varie combinazioni. Può essere utile rileggere il testo introduttivo.

Postlettura
(p. 80) - Come per i precedenti role-plays, bisognerebbe concedere agli studenti un tempo sufficiente per la preparazione. Lo studente A deve illustrare la situazione e spiegare le sue paure, cercando di motivarle il più possibile. Può fare riferimento ai suoi studi fino a questo momento, alle prove di verifica che ha dovuto affrontare, ai racconti di amici e parenti.
Lo studente B può fare lo stesso lavoro e preparare una lista di consigli utili. Entrambi gli studenti possono rivedere le attività di prelettura e di lettura per raccogliere idee. Comunque la discussione non dovrebbe incentrarsi solo su una corretta alimentazione ma affrontare altri argomenti come, ad esempio, le tecniche di studio (l'insegnante potrebbe scrivere alla lavagna alcune delle seguenti parole-chiave ed espressioni che gli studenti potranno integrare. "Impiegare bene il proprio tempo, programmare, prendere appunti, schematizzare, ripassare, memorizzare, ricercare, prevedere, preparare bene alcuni argomenti, ecc.).

Conversazione
La seguente attività può anche essere svolta nell'unità 14, Lettura C, p. 83.
Ogni studente riferisce su successi e fallimenti nel corso della sua esperienza scolastica (prove scritte e orali o esami finali), cercando di motivare sia gli uni sia gli altri. L'insegnante potrebbe fornire una griglia di riferimento (l'anno scolastico, la materia o le materie, le impressioni, il tipo di prova - scritta o orale, gli esami, la preparazione, le emozioni alla vigilia della prova, le reazioni dopo la prova, le reazioni quando si conoscono i risultati della prova, l'importanza della valutazione per l'anno scolastico/per gli studi futuri/per la propria carriera, ecc.).
Alcuni studenti troveranno questa griglia di riferimento utile, altri preferiranno cimentarsi in una conversazione meno guidata.

Unità 14

Prelettura
(p. 83) - Come per le altre unità, prima di affrontare il testo, sarebbe utile fare riflettere gli studenti sulle esperienze passate.
In alternativa all'attività proposta, le domande potrebbero servire per favorire un proficuo scambio di idee tra gli studenti. La conversazione potrebbe seguire due diverse direzioni: 1) Una descrizione del proprio comportamento prima di un esame e di una prova importante; 2) Uno scambio di opinioni su come ci si dovrebbe comportare in queste occasioni.

Lettura
(p. 83) - Questo tipo di attività, che richiede una lettura approfondita, può essere utilizzata anche per altri testi. Invece di fornire le domande in disordine, si potrebbe chiedere agli stessi studenti di formulare le domande adatte ad ottenere determinate risposte. Si tratta di un esercizio difficile, che abitua però, gli studenti alla lettura approfondita. Gli studenti possono inizialmente lavorare da soli e poi confrontare i risultati con gli altri.

C. (p. 83) - Questo brevissimo testo contiene alcuni spunti importanti per la discussione e permette ancora una volta agli studenti di parlare sia delle loro esperienze personali sia delle esperienze di amici e conoscenti.

Lessico
(p. 85) - Bisogna ricordare agli studenti che non tutti i contrari si trovano nel testo introduttivo.

Un'altra utile tecnica, per agevolare la memorizzazione dei vocaboli, è quella di studiarli assieme ai loro sinonimi o contrari. La nota ha lo scopo di richiamare l'attenzione degli studenti su alcuni prefissi che permettono di formare i contrari di aggettivi, verbi, nomi, ecc.
L'insegnante potrebbe scrivere alla lavagna una lista di nomi, aggettivi e verbi e chiedere agli studenti di trovare i contrari.

D. (p. 86) - L'insegnante potrebbe ricordare agli studenti le parole ed espressioni utili per eseguire questo esercizio.

Scrittura
(p. 87) - Sarebbe utile trovare dei corrispondenti italiani, così che gli studenti debbano rispondere ad una lettera autentica. Questo crea una maggiore motivazione, permette agli studenti di verificare come la loro grafia possa essere molto diversa da quella degli italiani e offre anche la possibilità di adattare/riusare determinate parole o espressioni.

In alternativa, gli studenti potrebbero corrispondere in italiano con quelli di una classe parallela.

Attività supplementari
(p. 87) - E' importante abituare gli studenti a sviluppare e a collegare le loro idee in modo coerente ed organico sia oralmente che per iscritto. L'esercizio proposto ha questo scopo. Non è facile per gli studenti usare una lista di espressioni fornita dall'insegnante senza poter fare riferimento ad un contesto. E' importante quindi che si concentrino prima sui connettivi usati nell'articolo introduttivo, per avere un punto di riferimento.
Alternative a questo esercizio:
1) Eliminare i connettivi, riscriverli alla lavagna in disordine e chiedere agli studenti di inserirli nel testo.
2) Eliminare i connettivi e, senza riscriverli, chiedere agli studenti di indicare i connettivi appropriati.
Considerate l'utilità e la difficoltà, soprattutto del secondo esercizio, è importante proporre frequentemente questi tipi di attività.

Unità 15

Prelettura
(p. 89) - Anche queste domande possono servire per facilitare la conversazione.

Lettura
A. (p. 89) - Deve essere fissato un tempo limite di 3/4 minuti. Gli studenti possono, usando una matita, sottolineare, indicare con un asterisco o annotare le parole-chiave per rispondere alle domande.

Lessico
(p. 92) - Per agevolare il compito degli studenti, l'insegnante potrebbe fornire alcuni esempi di definizioni. L'esercizio offre anche la possibilità di ripassare i pronomi relativi (che, in cui, nel quale, ecc.).

Strutture
(p. 92) - Dopo aver eseguito l'esercizio, gli studenti potranno controllarne la correttezza, rileggendo il testo introduttivo. In una seconda fase, si possono discutere le difficoltà incontrate e rivedere i punti essenziali dell'argomento. Per l'approfondimento, si potrebbe assegnare un esercizio simile da fare a casa, partendo però da un argomento o da un testo diverso.

Unità 16

Prelettura
(p. 93) - Gli studenti possono confrontare e discutere le loro risposte. Possono anche motivare le loro scelte.

Lessico
(p. 95) - Bisogna ricordare agli studenti che non tutti i contrari si trovano nel testo introduttivo.

Strutture
A. (p. 95) - L'esercizio può anche essere svolto oralmente, in coppia. In questo caso, alcuni studenti potrebbero formulare domande ed altri rispondere.

Esempio   A. Che cosa faresti se fossi l'insegnante di italiano?
                 B. Organizzerei più attività orali e svilupperei un progetto con i miei studenti,
                    ad esempio un giornalino di classe.
                 A. Perché?
                 B. Innanzitutto, perché penso che sia più importante...

Postlettura
(p. 96) - Vedi anche i suggerimenti per l'Unità 1, Postlettura.
Dopo aver intervistato i compagni, gli studenti possono lavorare in coppia per analizzare i risultati e per discutere in modo più approfondito gli argomenti trattati nella "Mappa dei desideri".
Gli studenti potrebbero anche intervistare compagni delle altre classi che non conoscono l'italiano. In questo caso, dovranno fare un esercizio di traduzione prima nella loro lingua madre, poi, per presentare i risultati delle interviste alla classe, in italiano.

Prelettura
(p. 97) - Gli studenti, lavorando in coppia, possono confrontare e discutere le loro risposte.

Lettura
(p. 99) - A gruppi. Il gruppo A potrebbe rispondere alle prime 4 domande e il gruppo B alle altre. Dopo aver trovato le risposte, ogni studente del gruppo A lavora in coppia con uno studente del gruppo B. Gli studenti in coppia si scambiano le informazioni e, rileggendo tutto l'articolo, verificano l'esattezza delle rispettive risposte.

Questa attività di lettura e quella proposta a p. 107 si possono svolgere anche come gioco a squadre.
La classe si divide in due gruppi. Al via dell'insegnante i due gruppi, organizzandosi come meglio credono, cercano di rispondere nel minor tempo possibile a tutte le domande. Quando uno dei due gruppi finisce, interrompe l'altro. Ogni risposta esatta vale due punti. Per ogni risposta sbagliata o non fornita si perdono due punti. I due gruppi, con l'aiuto dell'insegnante, verificano l'esattezza delle risposte. Vince chi totalizza il maggior numero di punti.

Lessico
B. (p. 99) - Gli studenti possono consultare l'elenco di parole ed espressioni utili a p. 62 ed utilizzarne alcune.

Prelettura
Una settimana prima di iniziare questa unità, si può chiedere agli studenti di annotare, per almeno cinque giorni, come impieghino quotidianamente il loro tempo. Dopo aver elaborato gli appunti, ogni studente dovrà descrivere una sua giornata tipo (es. Di solito, dalle ... alle ... dormo, dalle ... alle... faccio colazione, ..., dalle ... alle... vado a scuola, ... dalle ... alle... faccio i compiti, ..., dalle ... alle ... guardo la televisione, ecc.). Le descrizioni potranno essere oggetto di analisi e di discussione in classe, con lo scopo di riflettere sulle diverse abitudini e, se necessario, considerare come possa essere impiegato meglio il proprio tempo.

Lessico
C. (p. 103) - Gli studenti possono consultare l'elenco di parole ed espressioni utili a p. 62 ed utilizzarne alcune.

Postlettura
C. (p. 105) - La discussione in classe è sempre motivante per gli studenti e molto proficua sia dal punto di vista linguistico sia per quanto riguarda il potenziamento delle capacità critiche.
Per queste ragioni si potrebbe proporre mensilmente un argomento controverso da discutere (es. la pena di morte, l'eutanasia, la vivisezione, la dieta vegetariana, il fumo, il servizio militare obbligatorio, l'aborto, ecc.). Il momento della discussione, preferibilmente, dovrà essere preceduto, nei giorni antecedenti, da una fase preparatoria, durante la quale gli studenti si documenteranno individualmente, per affronta-

re il dibattito con l'adeguata informazione. Dopo la discussione si potrebbe chiedere agli studenti di scrivere una relazione dove vengano esposti obiettivamente diversi punti di vista e le conclusioni personali.

Prima di iniziare la discussione, si potrebbe scegliere un coordinatore il quale, oltre a prendere nota di chi vuole intervenire e a dare la parola, dovrà fare rispettare le regole della discussione (es. alzare la mano, parlare uno alla volta, non interrompere, prendere appunti, non uscire fuori argomento, ecc.).

Scrittura
(p. 106) - Questa attività va adattata per determinati studenti (ad esempio, gli studenti lavoratori che frequentano i corsi serali). Questi potrebbero scrivere della loro esperienza per quanto riguarda lo studio dell'italiano, spiegare perché hanno scelto di studiare questa lingua, accennare alle loro aspettative e alle difficoltà che incontrano, riferire sulle attività svolte durante le lezioni, soffermandosi in particolare su quelle preferite, ecc.

Unità 19

Prelettura
(p. 107) - Anche se lo scopo principale delle domande è quello di facilitare la comprensione del testo di lettura, ci si propone contemporaneamente di potenziare le capacità di osservazione e di stimolare la riflessione e la discussione. Per queste ragioni, sarà utile discutere con la classe le risposte degli studenti che saranno necessariamente varie e non sempre attinenti al tema trattato.

Sarebbe meglio osservare le fotografie e rispondere alle domande, senza aver avuto la possibilità di leggere il titolo dell'Unità. L'insegnante potrebbe scrivere alcune domande alla lavagna, dividere la classe in gruppi, dare una fotocopia di p. 108 ad ogni gruppo (o fare aprire il libro a p. 108), e chiedere agli studenti di osservare le due fotografie, discutere e rispondere alle domande.

Lettura
(p. 107) - Siccome il testo è lungo e piuttosto difficile, si potrebbe dividere la classe in gruppi di 3/4 studenti e chiedere ad ogni gruppo di rispondere ad alcune domande (se per esempio ci sono 4 gruppi, ogni gruppo potrebbe rispondere a tre diverse domande). Dopo aver risposto alle proprie domande, i gruppi si interrogheranno a vicenda, per avere le risposte alle altre domande.

Vedi anche suggerimenti per la lettura, Unità 17.

Postlettura
(p. 112) - Può essere molto produttivo, da un punto di vista linguistico, svolgere questa attività in coppia o a gruppi.

Scrittura
(p. 113) - Questa attività può essere svolta anche oralmente. Gli studenti potrebbero preparare a casa una scaletta o degli appunti per facilitare l'esposizione orale.

Nell'ambito di un'attività di drammatizzazione, ogni studente potrebbe anche avere un ruolo diverso e raccontare l'esperienza dal punto vista del turista, del ferito, del vigile del fuoco, ecc.

IL TELEFONO COME E QUANDO

PRELETTURA _____

TU
Indica con una x le tue risposte.

1. Senza il telefono la tua vita sarebbe

       [a] più difficile   [b] impossibile
       [c] più tranquilla   [d] altro ...

2. Non sopporti le persone che al telefono

       [a] non si annunciano   [b] non lasciano parlare
       [c] fanno perdere tempo   [d] altro ...

3. Ogni settimana fai

       [a] da 1 a 5 telefonate   [b] da 6 a 10 telefonate
       [c] più di 10 telefonate   [d] nessuna telefonata

4. La maggior parte delle tue
   telefonate sono fatte

       [a] ai familiari   [b] agli amici
       [c] per motivi di lavoro   [d] altro

LETTURA _____

Leggi il seguente articolo e riordina le tabelle a p. 6, numerandole come nell'esempio.
Attenzione! Manca una tabella.

La maggior parte degli italiani considera il telefono uno strumento necessario per mantenere accettabile lo standard di vita. Per molti è addirittura un amico (vedi tabella 1).
La tabella 2 indica eloquentemente alcune delle mancanze più comuni tra gli utenti.
Nella tabella 3 vengono passati in rassegna i desideri degli italiani nei riguardi del telefono. Per il numero delle telefonate fatte o ricevute dalla maggior parte degli italiani vedi le tabelle 4 e 5
La tabella 6 ci informa sul comportamento degli italiani verso le segreterie telefoniche.
Le tabelle 7 e 8 evidenziano i problemi igienici delle cabine pubbliche e la ben nota "invadenza" del telefono nella nostra vita privata.

INCHIESTA VERITÀ

IL TELEFONO COME E QUANDO

a [ ]

A LEI PIACEREBBE...

	TOT. %
Avere la segreteria telefonica	35.8
Avere un telefono singolo (non il duplex)	29.1
Avere un telefono tutto per me (da non dividere con altri familiari o altre persone)	18.6
Avere il telefono in auto	7.2
Avere una centralina con tre linee telefoniche	5.5
Eliminare il telefono da casa mia	3.8

Es: b [1]

IL TELEFONO PER LEI È...

	TOT. %
Una necessità	41.3
Uno strumento di lavoro	22.7
Un amico	13.8
Un aiuto contro la solitudine	11.7
Una nevrosi	4.4
Un prolungamento dell'orecchio	3.3
Una scocciatura	2.2
Un prolungamento della bocca	0.6

d [ ]

NEI POSTI TELEFONICI PUBBLICI (BAR, CABINE) LA DISTURBA...

	TOT. %
Il contatto con il ricevitore che hanno usato in molti	38.3
Avere gente intorno	26.1
La coda di gente che attende di telefonare	20.8
Essere interrotto perché è scaduto il tempo	8.2
Dover stare in piedi	6.6

c [ ]

QUANTE TELEFONATE LEI FA PERSONALMENTE OGNI GIORNO?	TOT. %
Da 1 a 5	78.8
Da 6 a 10	18.5
Più di 10	1.6
Nessuna	1.1

f [ ]

QUANTE TELEFONATE LEI PERSONALMENTE RICEVE OGNI GIORNO?	TOT. %
Da 1 a 5	74.7
Da 5 a 10	22.5
Più di 10	2.2
Nessuna	0.6

e [ ]

CHE COSA LA DISTURBA NEL TELEFONO...

	TOT. %
Che la viene a cercare anche quando non lo desidera	37.7
Che non può sapere prima chi la sta cercando	26.6
L'insistenza dello squillo	18.8
Che non vede in viso il suo interlocutore	10.8
Che può starsene un'intera giornata senza squillare	6.1

g [ ]

LEI NON SOPPORTA LE PERSONE CHE AL TELEFONO...	TOT. %
Dimenticano di annunciarsi	29.4
Non lasciano parlare l'altro	24.9
Perdono tempo	20.5
Appoggiano la bocca al ricevitore	11.6
Parlano sottovoce	8.1
Alzano la voce	5.5

dunque = ... (handwritten)

POSTLETTURA

A - Intervista alcuni compagni e compila le seguenti tabelle.

CHE COSA RAPPRESENTA PER TE IL TELEFONO?	1	2	3	4	5	6	7	8	9	10	TOT.
Una necessità											
Uno strumento di lavoro											
Un amico											
Un aiuto contro la solitudine	✓										
Una nevrosi *nuisance*											
Una scocciatura *security*											

TI PIACEREBBE...?											
Avere la segreteria telefonica											
Avere il telefono in auto											
Eliminare il telefono da casa tua											

QUANTE TELEFONATE FAI OGNI GIORNO?											
Da 1 a 5											
Da 6 a 10											
Più di 10 — *more*	✓										
Nessuna *meno di = less*											

QUANTE TELEFONATE RICEVI OGNI GIORNO?											
Da 1 a 5											
Da 6 a 10											
Più di 10											
Nessuna											

CHE TIPO DI PERSONE NON SOPPORTI AL TELEFONO?											
Quelle che dimenticano di annunciarsi											
Quelle che non ti lasciano parlare											
Quelle che perdono tempo											
Quelle che appoggiano la bocca al ricevitore											
Quelle che parlano sottovoce	✓										
Quelle che alzano la voce											

Those who (handwritten, left margin)

CHE COSA TI DISTURBA NEL TELEFONO ...?											
Che ti viene a cercare anche quando non lo desideri											
Che non puoi sapere prima chi ti sta cercando											
L'insistenza dello squillo											
Che non vedi il viso del tuo interlocutore											
Che può starsene un'intera giornata senza squillare											

CHE COSA TI DISTURBA QUANDO TELEFONI NEI POSTI PUBBLICI?											
Il contatto con il ricevitore che hanno usato in molti											
Avere gente intorno											
La coda di gente che attende di telefonare											
Essere interrotto perché è scaduto il tempo											
Dover stare in piedi											

B - *Presenta i risultati della tua inchiesta alla classe.*

Parole ed espressioni utili

- La maggioranza dei miei compagni pensa che ...
- Alcuni pensano che ...
- Nessuno ...
- A molti piacerebbe ...
- Pochi ...
- Quasi tutti ...
- Altri ...
- In generale, ...
- Infine, ...

LESSICO

Completa le frasi, scegliendo tra le seguenti parole quelle adatte.

bolletta	occupata
caduta	pagine gialle
carta telefonica	passo
colpo	prefisso
elenco telefonico	rispondere
interurbana	sbagliato
numero verde	squillare

1. Appena posso, ti do un _____ di telefono.
2. Ti dispiace _____ al telefono?
3. Mi dispiace, ma ha _____ numero.
4. Non sono riuscito a parlargli perché è _____ la linea.
5. Le _____ il direttore.
6. Scusi! Qual è il _____ per Siena?
7. Per informazioni potete chiamare il seguente _____ .
8. Vorrei una _____ da diecimila lire.
9. Mi dispiace, la linea è _____ .
10. Hai già pagato la _____ del telefono?

STRUTTURE

A

*Trasforma dal **tu** al **Lei**, come nell'esempio.*

Esempio: **Ti** piacerebbe avere il telefono in auto?
            Le piacerebbe avere il telefono in auto?

1. Non ti sento, parla più forte! . . . .
2. Quante telefonate fai ogni settimana? . . . .
3. Quante telefonate ricevi ogni giorno? . . . .
4. Puoi richiamare più tardi? . . . .
5. Hai telefonato al dentista? . . . .
6. Dovresti telefonare a questo numero. . . . .
7. Vuoi lasciare un messaggio? . . . .
8. Ricordati di prenotare. . . . .
9. Ti devi rivolgere all'ufficio informazioni. . . . .
10. Dimmi! . . . .

NON ABBANDONIAMOLI!

PRELETTURA_____

TU
Rispondi alle seguenti domande.

which

1. Quali problemi possono creare gli animali durante le vacanze?
2. Perché molta gente abbandona gli animali durante le vacanze?
3. Che cosa si potrebbe fare per evitare che la gente li abbandoni?

LETTURA_____

A - *Leggi le seguenti scelte multiple, poi leggi velocemente l'articolo (in non più di un minuto) e indica con una x l'affermazione corretta.*

1. La stagione a cui si fa riferimento è

l'inverno	[a]
la primavera	[b]
l'estate ✗	[c]
l'autunno	[d]

2. L'imperativo categorico di cui parla l'articolo è

"portare gli animali in vacanza!"	[a]
"non maltrattare gli animali!"	[b]
"non abbandonare gli animali!" ✗	[c]
"usare il Telefono rosso !"	[d]

bad habit

3. L'espressione "questo malcostume" si riferisce

all'abitudine di lasciare i cani e i gatti in una pensione	[a]
all'abbandono degli animali domestici durante le vacanze	[b]
al fatto di dimenticare gli animali in autostrada ✗	[c]
al maltrattamento degli animali	[d]

4. Ci si può rivolgere al "Telefono rosso"

per denunciare chi maltratta gli animali	[a]
per avere informazioni sulle vacanze estive	[b]
per trovare una famiglia disposta ad ospitare un animale durante le vacanze ✗	[c]
per trovare una famiglia disposta a comprare un animale abbandonato	[d]

B - *In coppia*

a) Discussione
Confronta le tue scelte con quelle di un compagno e, se diverse, discutetele senza rileggere l'articolo.

b) Rilettura
Rileggete l'articolo e controllate se le vostre scelte sono corrette.

Non abbandoniamoli!

L'imperativo categorico è riferito agli animali - cani e gatti - che, con l'inizio del periodo estivo, diventano l'oggetto di questo malcostume: già, bisogna andare in vacanza, e non potendo portare Fido alla pensione Miramare non rimane altro che lasciarlo in qualsiasi piazzola dell'autostrada. Non è il soggetto di un film, purtroppo è la realtà quotidiana: solamente in Lombardia ogni anno vengono «catturati» 14.000 animali «trovatelli», di cui solamente un terzo sopravvive alla eliminazione mediante iniezione. Per porre un freno a questo malcostume (la ripetizione è voluta) c'è un'iniziativa, il «Telefono rosso» (02/865409), cui si deve rivolgere chi desidera affidare l'animale a un'altra famiglia durante l'estate: si può chiamare da tutta Italia dall'11 al 15 luglio. Per una volta fate che il miglior amico dell'uomo diventi anche vostro amico.

V.M.

LESSICO

A - *Trova nel testo le espressioni o le parole con significato simile alle seguenti.*

1. cattiva abitudine .... *mal costume* ....
2. è necessario .... *bisogna* ....
3. non resta altra possibilità .... *non rimane altro* ....
4. sfortunatamente .... *purtroppo* ....
5. di tutti i giorni .... *quotidiana* ....
6. soltanto .... *solamente* ....
7. uccisione .... *eliminazione* ....
8. per mezzo di .... *mediante* ....
9. mettere .... *per porre* ....
10. dare in consegna .... *affidare* ....

B - *Inserisci le seguenti azioni nelle colonne relative al gatto e al cane, aiutandoti con il dizionario.*

abbaiare   graffiare
drizzare il pelo guaire
fare la guardia   miagolare
fare le fusa   ringhiare
farsi le unghie   scodinzolare

CANE	GATTO
abbaiare	drizzare il pelo,
fare la guardia	fare le fusa
guaire - whine	farsi le unghie
ringhiare - growl	graffiare - scratch
scodinzolare - wag tail	miagolare

13

C - *Collega con una freccia i seguenti avvisi con i luoghi dove si possono trovare.*

Avvisi

Luoghi

ATTENTI AL CANE

nei giardini pubblici

VIETATO INTRODURRE ANIMALI!

sui cancelli delle ville

TENERE I CANI AL GIUNZAGLIO!

sulle porte dei negozi

POSTLETTURA

a) *In coppia*
   Completate la tabella sui problemi che si possono avere, quando si tengono animali in casa.
b) *In gruppo*
   Confrontate le vostre tabelle e completate la tabella delle possibili soluzioni.

PROBLEMI	POSSIBILI SOLUZIONI
Quando si va in vacanza, non è possibile portare il gatto in albergo.	Si lascia ai vicini di casa
Il gatto può rovinare con le unghie le poltrone	Le poltrone si possono coprire con un tessuto resistente

14

STRUTTURE_____

L'imperativo può esprimere un ordine diretto o indiretto, un'esortazione, un consiglio o un'invocazione.

Esempi

• L' imperativo negativo si forma con:
  a) non + infinito (con il tu)   Non maltrattare gli animali!
  b) non + congiuntivo (con il Lei)   Non maltratti gli animali!

• Con i pronomi, l' imperativo negativo si forma:
  a) non + infinito + pronomi (con il tu)   Non maltrattarli!
  b) non + pronomi + imperativo indiretto (con il Lei)   Non li maltratti!
  c) non + imperativo indiretto + pronomi (con le altre persone) Non maltrattiamoli!

A - *Trasforma le seguenti frasi dal **tu** al **Lei**, come nell'esempio.*

Esempio: Non maltrattarli!   Non li maltratti!

            tu   **Lei**

  1. Non abbandonarli!
  2. Non tenerlo sempre al guinzaglio!
  3. Non telefonargli!
  4. Non farlo entrare!
  5. Non sgridarla!
  6. Non farli arrabbiare!
  7. Non dargli troppo da mangiare!
  8. Non disturbarli!
  9. Non stringerlo troppo forte!
 10. Non costringerli a stare in casa!

B - *Trasforma le frasi dell'esercizio precedente dal **tu** al **noi**, come nell'esempio.*

            tu   **noi**

Esempio: Non maltrattarli!   Non maltrattiamoli!

L'ESTATE ALL'INSEGNA DELLO SPORT

PRELETTURA

TU
Rispondi alle seguenti domande.

1. Qual è il tuo sport preferito?
2. Quante ore alla settimana dedichi allo sport?
3. Quali sport pratichi/vorresti praticare in estate?
4. Quali sport pratichi/vorresti praticare in inverno?

TU E GLI ALTRI
A gruppi (brain storming)

Sono sempre più diffusi i villaggi vacanze con programmi molto vari di animazione sportiva . Scrivete un elenco di quelli che, secondo voi, sono gli sport e i giochi più praticati in questi villaggi.

LETTURA

A - *Confrontate il vostro elenco con gli sport citati nel testo "L'estate all'insegna dello sport."*

B - *Scrivi un elenco degli sport e dei giochi citati nel testo che sono poco praticati nel tuo paese.*

C - *Secondo te, perché non sono molto praticati nel tuo paese?*

L'estate all'insegna dello sport

Corsa con i sacchi, maratonina, vela, pallacanestro in mare, ping pong e biliardino: ovvero mille modi per fare attività fisica e divertirsi. Anche questo è il villaggio vacanza, un complesso turistico dove la formula «sport e villeggiatura» è quasi costretta ad abbinarsi.

In qualsiasi struttura turistica che abbia una ricettività di almeno 500 persone è presente lo staff, «il gruppo dirigente». Ogni settimana, generalmente al sabato, nei villaggi ci sono gli arrivi e il programma dell'animazione sportiva varia di località in località, a seconda anche delle strutture. Comune denominatore rimane il torneo di tennis; in particolare va molto il doppio misto. Chi vuole può anche prendere lezioni a pagamento durante la giornata. Poi ci sono i tornei di ping pong e calcetto, e la maratonina: correre al caldo per tre chilometri è una bella impresa, poco salutare se non ci si è preparati con cura prima della prova.

Un altro appuntamento insostituibile è il torneo di beach volley, mentre molto diffuse sono le gare di nuoto e, se la piscina lo consente, un torneo di pallanuoto: con il «trucco» della zona in cui si tocca, perché la pallanuoto è un'attività sportiva assai faticosa, non certo da amatori.

Lo sport è al centro di tutto, dalle prime ore del mattino, dedicate al footing nelle parti della struttura meno afose e più alberate. E poi lo sport in acqua: un po' in ribasso il windsurf, tira più la barca a vela, con lezioni che costano almeno 20.000 lire l'ora.

Francesco Velluzzi

L'attrice Eleonora Vallone, al centro, è diventata insegnante di ginnastica in acqua

IL DUBBIO

Cancella la forma errata, come nell'esempio.

Esempio: Piace soprattutto/~~sopratutto~~ ai giovani.

1. Ogni settimana/settimane ci sono nuovi giochi.
2. Ci sono attività/attivite fisiche interessanti.
3. Il torneo di tennis inizia generalemente/generalmente il 2 di luglio.
4. La programma/il programma dell'animazione sportiva varia da località a località.
5. Un altro/un'altro appuntamento importante è il beach volley.
6. Le gare di nuoto sono molto diffuso/diffuse.
7. Si fanno molte/molti escursioni.
8. Facciamo molte/molta attività.
9. Qualchevolte/qualchevolta giochiamo a tennis.
10. C'è/ci sono molta gente che pratica/praticano il tennis.

STRUTTURE

A - *Completa le seguenti frasi con gli aggettivi* **molto, molti, molta, molte** *o con l'avverbio* **molto**.

1. Alla gara hanno partecipato _____ atleti.
2. C'era _____ folla.
3. E' _____ interessante assistere ad una partita di pallanuoto.
4. E' stata una vacanza _____ rilassante.
5. Faceva _____ freddo.
6. Ho partecipato a _____ gare.
7. Le lezioni di windsurf sono _____ costose.
8. Pratico _____ sport.
9. Si è sottoposto ad allenamenti _____ faticosi.
10. Vado _____ volentieri in palestra.

B - *Completa le seguenti frasi con gli aggettivi* **poco, pochi, poca, poche** *o con l'avverbio* **poco**.

1. Ci sono _____ turisti!
2. E' _____ probabile che vinca lui.
3. E' uno sport _____ praticato.
4. Ha _____ resistenza.
5. Ho _____ tempo per allenarmi.
6. Si sente _____ bene.
7. Ho visto _____ volte uno spettacolo simile.
8. Nella mia città sono _____ i centri sportivi.
9. Si è allenata _____ .
10. Sono _____ interessati allo sport.

POSTLETTURA
Role play

Studente A
Pensa ad uno sport.
Convinci il tuo partner a praticarlo.
Lui cercherà di convincerti a praticare uno sport che non ti piace.

Studente B
Il tuo partner cercherà di convincerti a praticare uno sport che non ti piace.
Spiegagli perché non ti piace quel tipo di sport e convincilo a tua volta a praticare il tuo sport preferito.

Parole ed espressioni utili

- prova almeno una volta ...
- è divertente ...
- fa bene ...
- vedrai che ti divertirai
- conoscerai molta gente ...
- sono sicuro/a che ti piacerà ...
- vieni a vedere almeno una volta ...

- Mi piace ... perché ...
- Non mi piace ...
- Preferisco ...
- Mi piace ...
- Pratico ...
- barca a vela/beach volley/biliardo/bocce/footing/gare di nuoto/maratona/ nuoto/pallacanestro in mare/ping pong/tennis/torneo di pallanuoto/windsurf /...

SCRITTURA

In coppia
- *Un gruppo di giovani italiani soggiornerà nella vostra città per una settimana.*
- *Preparate un programma (sportivo , culturale, ...) dettagliato delle attività che potranno scegliere di fare.*
- *I programmi saranno poi presentati alla classe ed integrati con i suggerimenti dei compagni.*
  (Potrebbe seguire uno scambio di programmi con i corrispondenti italiani).

IL GIOCO

Schema-guida per spiegare le regole di un gioco

- Numero dei giocatori
- Materiale necessario
- Tempo necessario
- Come si svolge
- Dove si può svolgere (al chiuso, all'aperto)
- Chi vince
- Possibili varianti

A - *Riordina le seguenti istruzioni per giocare a "Indovina lo sport", come nell'esempio.*

[ ] Il giocatore deve indovinare di che sport si tratti, rivolgendo domande agli altri
[ ] Bisogna indovinare entro 5 minuti (o, per rendere il gioco più difficile, si può stabilire un numero massimo di domande consentite)
[ ] Gli altri giocatori pensano ad uno sport
[ ] Gli interrogati devono rispondere solo "Sì" o "No"
[1] I partecipanti possono essere due o più
[ ] Il giocatore che si era allontanato ritorna
[ ] Il gioco si può svolgere all'aperto o al chiuso
[ ] Non serve materiale
[ ] Uno dei giocatori si allontana

B - *Spiega alla classe le regole di un gioco, senza dirne il nome.*
I compagni devono indovinare di che gioco si tratti.

Parole ed espressioni utili per spiegare le regole di un gioco

Ci vuole/E' necessario ...Il gioco consiste in/ nel...
I partecipanti/concorrenti devono/non devono ...
Si gioca in 2/3/coppia/gruppi
E' un gioco a squadre ...
Vince/perde chi ...
Bisogna cercare/evitare di ...
Il più velocemente/rapidamente possibile ...
Nel più breve/nel minor tempo possibile ...
Il maggior numero di...
Le difficoltà consistono nel ...
La prova è superata se ...
L'avversario ...
Viene squalificato/premiato
Il primo/il secondo/l'ultimo

SCRITTURA

- Un amico italiano ti scrive chiedendoti spiegazioni su un gioco molto praticato nel tuo paese. Prepara a casa alcuni appunti utili per la tua spiegazione.
- Spiega in classe il gioco e aggiungi ai tuoi appunti i suggerimenti dei tuoi amici.
- Rispondi alla lettera dell'amico italiano.

CHI LAVORA E CHI NO

PRELETTURA

TU
Rispondi alle seguenti domande.

1. Che lavoro ti piacerebbe fare?
2. Quali sono le tue esperienze di lavoro?
3. E' difficile trovare lavoro nel tuo paese? Perché?

LETTURA

Leggi la lettera "Chi lavora e chi no" e compila la seguente tabella su:

Il marito disoccupato

Età	
Periodo di disoccupazione	
Motivi di abbandono della scuola	
Stato d'animo	
Occupazioni precedenti	
Lavoro richiesto	
Aspetto fisico	
Occupazione dei figli	
Speranze della moglie	

Note:
1. Lasciato a casa = licenziato.
2. Esuberanza di personale = un numero di dipendenti superiore alle necessità.
3. Ha bussato a tantissime porte = si è rivolto a moltissime persone per cercare lavoro.
4. Debellare = sconfiggere (qui usato nel senso di risolvere).

IL SECOLO XIX

Lavoro

Trenta giorni?
Che sciocchezza!

Ho letto da qualche parte, che, secondo una recente statistica sarebbe possibile trovare un posto di lavoro in 30 giorni!!! Non so chi sia «l'autore» di codesta schiocchezza e se vive sul pianeta Terra oppure su qualche altro pianeta?

Con ogni evidenza costui (o costoro) non hanno i problemi dei comuni mortali, sennò non uscirebbero con queste stranezze che potrebbero anche far ridere se, invece, il problema non fosse piuttosto tragico. Diversi provano a mettere inserzioni sui quotidiani, altri rispondono a qualcuna di esse! Risultati? Nel 99% dei casi non si ha alcuna risposta. Nei casi positivi si hanno offerte di lavoro a tempo parziale, oppure orari assurdi, indefiniti, per non parlare dello stipendio (naturalmente non in regola con tutti i doveri di un buon lavoratore e neanche un diritto?!). Ovvia, perché lamentarsi l'importante è lavorare.

A questo punto, occorre dire che, chi lavora o tenta di poterlo fare ha dei diritti incontestabili dal punto di vista sociale e umano. Non credo sia molto svolgere un determinato lavoro giustamente retribuito; queste non sono pretese assurde: un minimo di buon senso e perché no?, di umanità dovrebbe farlo capire a tutti, cominciando dagli egoisti che vogliono arricchirsi e prosperare alle spalle di chi ha bisogno ed è costretto ad accettare. Forse ci siamo dimenticati che ognuno di noi ha diritto al posto di lavoro (lo dice anche la costituzione o son solo parole?). Penso di aver espresso con chiarezza quello che tutti pensiamo su questa faccenda.

Cinzia Morino
Genova

Disoccupati

Chi lavora
e chi no

Immagino riceviate parecchie lettere sul problema lavoro, ma spero troviate un po' di spazio per pubblicare anche la mia.

Mio marito, figlio unico, 49 anni, ha cominciato all'età di 14 a lavorare, lasciando gli studi, per aiutare la madre separata.

In tutti questi anni ha svolto diverse attività, cercando sempre di migliorare la sua posizione, dal rappresentante di commercio, operaio, ed infine Guardia Giurata, lasciato a casa poi un anno fa per esuberanza di personale. In questo anno ha fatto centinaia di domande di assunzione, per qualsiasi lavoro, anche il più umile.

Ha bussato a tantissime porte, faccio presente che mio marito è di aspetto molto giovanile, e di buona presenza, ma si è sempre sentito rispondere che è troppo vecchio per certi lavori oppure che preferirebbero un pensionato.

Non vi dico quanto mio marito sia demoralizzato; abbiamo 2 figli, la più grande frequenta il 5 anno universitario, e l'altro da poco ha terminato il servizio militare ma non ha ancora trovato lavoro.

Scusate il mio sfogo, ma mi chiedo è mai possibile che persone pensionate o già in possesso di un lavoro debbano avere 2 o più lavori, quando invece ci sono giovani o meno giovani che non ne hanno nemmeno uno?

Penso che se vogliamo debellare il grave, gravissimo problema della disoccupazione ci vorrebbero controlli severi dalle parti interessate.

Mi auguro, per mio marito, mio figlio, e tutti coloro che sono senza lavoro che al più presto cambi qualcosa in meglio, tanto più che il lavoro è un diritto di ogni cittadino.

Domenica Agostini
Genova

LESSICO

A - *Come si chiama ...?*

1. Chi è senza lavoro? . . . .
2. Chi prepara pietanze? . . . .
3. Chi dipinge quadri? . . . .
4. Chi interpreta film o opere teatrali? . . . .
5. Chi vende frutta? . . . .
6. Chi cura gli ammalati? . . . .
7. Chi dirige una scuola media? . . . .
8. Chi recapita le lettere? . . . .
9. Chi ripara i motori delle automobili? . . . .
10. Chi installa impianti elettrici? . . . .

B - *Il gioco dei mestieri*

1) Uno studente immagina di svolgere un mestiere.
2) Gli altri devono indovinare di che mestiere si tratti, rivolgendogli domande.
3) L'interrogato deve rispondere solo "Sì" o 'No".
4) Vince chi per primo riesce ad indovinare il mestiere.
5) Bisogna indovinare entro 5 minuti (o, per rendere il gioco più difficile, si può stabilire un numero massimo di domande consentite).

Gli studenti possono utilizzare le seguenti frasi.

- Lavori all'aperto?
- Lavori al chiuso?
- Lavori in un ufficio?
- Lavori in una scuola?
- Guadagni molto?
- Installi tubi/impianti elettrici ...?
- Usi il martello/la penna/la macchina da scrivere ...?
- Sei un professionista?
- Sei un artigiano?
- Sei un lavoratore dipendente?

25

STRUTTURE

A - *Cerca nel testo "Chi lavora e chi no" i 5 congiuntivi presenti e sottolineali.*

B - *Completa le seguenti frasi con l'indicativo o il congiuntivo presente.*

1. Credi che (io) non .... lavorare?	VOLERE
2. E' certo che (loro) non .... il problema.	CAPIRE
3. Ho l'impressione che (lui) .... demoralizzato.	ESSERE
4. Mi auguro che (loro) ti	ASSUMERE
5. Non sono sicuro che (lui) .... a finire in tempo.	RIUSCIRE
6. Pensate che (noi) .... aiutarvi?	POTERE
7. So che (tu) .... presso un'azienda.	LAVORARE
8. Sono sicuro che non .... vero.	ESSERE
9. Spero che (lui) .... presto un'occupazione.	TROVARE
10. Ti ripeto che non ne .... niente.	SAPERE

Nota: L'indicativo esprime una certezza e il congiuntivo un dubbio, una possibilità o un desiderio.

C - *Completa le frasi, scegliendo tra i seguenti aggettivi indefiniti quelli adatti.*

parecchio
un po'
poca
alcune
ogni
qualsiasi
alcuni
tantissime
troppo

1. .... lavori sono molto faticosi.
2. .... lavoratore deve avere il libretto di lavoro.
3. Quel lavoro è .... rischioso.
4. C'è .... lavoro da fare.
5. Ci vorrebbe .... più di tempo per fare bene questo lavoro.
6. Accetterei un lavoro ....
7. Ha presentato .... domande di lavoro.
8. Ha .... esperienza di lavoro.

SCRITTURA

A - *Immagina di essere il marito di cui si parla nel testo.*
  Scrivi una lettera ad un giornale, raccontando la tua storia in prima persona.
  Puoi iniziare nel modo seguente:
  - Ho cominciato all'età di 14 anni ...

B - *Scrivi una lettera ad un giornale, raccontando una tua esperienza negativa o positiva nel mondo del lavoro.*

C - *Sei alla ricerca di un posto di lavoro. Scrivi ad un'azienda una lettera di accompagnamento al tuo Curriculum vitae. Compila poi il curriculum vitae.*
  Puoi utilizzare i seguenti modelli.

Spett.le Ditta
....
....
....

 Il/La sottoscritto/a ....,
nato/a a .... il ....,
residente a ...., chiede che il proprio nominativo venga tenuto in considerazione ai fini di un'eventuale assunzione. A tale scopo allega il proprio curriculum vitae.
Distinti saluti.
Roma, ...

CURRICULUM VITAE

Dati Personali

Cognome . . . . Nome . . . .
Luogo e data di nascita . . . .
Indirizzo e telefono . . . .
Stato civile . . . .
Studi compiuti
Superiori . . . .
Anni da . . . . a . . . . Voto finale
Università . . . .
Anni da . . . . a . . . . Voto finale
Tesi . . . .
Specializzazioni . . . .
Conoscenza lingue . . . .
Conoscenza computer . . . .
Esperienze lavorative
Prima azienda . . . .
Anni da . . . . a . . . . Mansioni . . . .
Altre . . . .
Motivazioni e aspirazioni . . . .
Altre attività . . . .

LA CASA IN CASSAFORTE

PRELETTURA

TU
Rispondi alle seguenti domande.

1. Secondo te, in quale periodo dell'anno sono più frequenti i furti negli appartamenti?
2. Che cosa faresti se, rientrando a casa, notassi la luce accesa nell'appartamento del vicino che è appena partito per le vacanze?
3. Secondo te, quali sono i primi posti esaminati dai ladri in un appartamento?
4. Secondo te, la maggior parte dei ladri agisce di giorno o di notte?

TU E GLI ALTRI
A gruppi

Fate un brain storming su "Come difendersi contro i *topi d'appartamento*".
Completate la seguente mappa delle idee, come negli esempi.

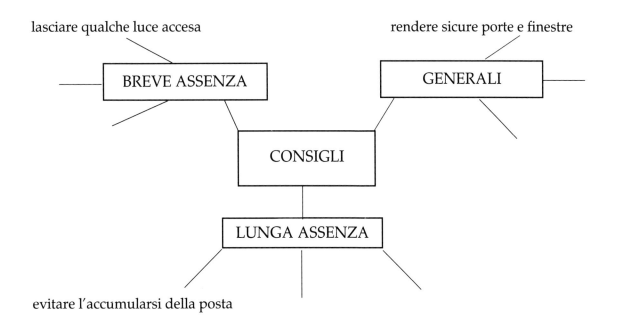

lasciare qualche luce accesa

rendere sicure porte e finestre

BREVE ASSENZA

GENERALI

CONSIGLI

LUNGA ASSENZA

evitare l'accumularsi della posta

A - *Leggi il testo "La casa in cassaforte" e compila la seguente tabella.*

CONSIGLI GENERALI	CONSIGLI IN CASO DI LUNGA ASSENZA	CONSIGLI IN CASO DI BREVE ASSENZA

B - *Confronta la tua mappa delle idee con la tabella dell'attività precedente.*

C - In coppia

Rileggete il testo e, a turno, dite al vostro partner:
1. Quali dei consigli generali avete già seguito;
2. Che cosa fate voi di solito quando andate in vacanza;
3. Che cosa fate quando uscite di casa per una breve assenza.

Parole ed espressioni utili

- Quando vado in vacanza, non lo faccio mai sapere a ...
- Lo faccio sapere a ...
- Lascio sempre ...
- Non lascio mai ...
- Qualche volta ...
- Cerco di ...
- Non dimentico mai di ...

La casa in cassaforte

Aumentano i furti, più di 200 mila famiglie lo sanno per diretta esperienza. Ma crescono anche le barriere erette dalla tecnologia: sensori a infrarossi, a microonde, con e senza fili

TRAPPOLE PER TOPI

Come tutelarsi contro i topi d'appartamento? Ecco alcuni consigli utili da seguire soprattutto durante il periodo estivo, durante il quale, secondo la polizia, l'incremento delle abitazioni messe a soqquadro dai ladri è del 30% rispetto al resto dell'anno.

IN CASO DI LUNGA ASSENZA
● Non fare sapere a estranei i programmi di viaggi e vacanze.
● Installare un dispositivo che, a intervalli, accenda luci, radio e tv.
● Evitare l'accumularsi della posta nella cassetta delle lettere.

IN CASO DI BREVE ASSENZA
● Lasciare qualche luce accesa o la radio in funzione.
● Niente messaggi sulla porta: dimostrano che in casa non c'è nessuno.
● Sensibilizzare i vicini affinché sia reciproca l'attenzione ai rumori sospetti sul pianerottolo o nell'appartamento.
● Se tornando a casa si trova la porta aperta o chiusa dall'interno non entrare. Dentro potrebbe esserci il ladro esperto che non perde la testa ma anche quello alle prime armi o il tossicodipendente che reagisce in malo modo.

CONSIGLI GENERALI
● Rendere sicure porte e finestre. Adottare vetri antisfondamento (soprattutto per i primi piani o gli attici, i più esposti).
● E' utile il ricorso a grate purché robuste. Lo spazio tra le sbarre non deve superare i 12 cm.
● Se l'interruttore della luce è all'esterno proteggerlo con grate per impedire che qualcuno possa staccare la corrente.
● Ricordare che rumori e luce tengono lontano i malviventi.
● Non permettere a venditori, fornitori, sconosciuti, anche se in uniforme, di entrare in casa.
  In genere è la prima ispezione per valutare l'appartamento.
● E' meglio non fare sapere quante persone vivono in casa.
● I primi posti esaminati dai ladri sono armadi, cassetti, vestiti, interno dei vasi, quadri, letti e tappeti.
● Se si è in casa tenere la porta protetta col paletto o con la catena.
  Quando si è soli, tenere la luce accesa in più stanze.
● Ricordare che i ladri nel 99% dei casi agiscono di giorno.

LESSICO

A - *Trova nel testo l'equivalente delle seguenti parole o espressioni.*

1. ladri ....
2. aumento ....
3. in disordine ....
4. sconosciuti ....
5. mettere ....
6. sistema ....
7. rendere coscienti del problema ....
8. con poca esperienza ....
9. protezione fatta di sbarre di metallo ....
10. che resistono ai colpi ....

B - *Aiutandoti con il dizionario, trova la differenza tra i seguenti verbi.*

derubare _____ ____
rapinare _____
scippare _____
svaligiare _____

STRUTTURE

*Trasforma dal **tu** al **Lei** le seguenti frasi.*

1. Come ti chiami? ....
2. Dove abiti? ....
3. Che cosa ti è successo? ....
4. Che cosa ti hanno rubato? ....
5. A che ora sei rientrato a casa? ....
6. Per quanto tempo sei stato fuori casa? ....
7. Hai qualche sospetto? ....
8. Avevi denaro in casa? ....
9. Ti informerò al più presto. ....
10. Calmati! ....

ROLE - PLAY

Studente A

- Immagina che la tua casa sia stata devastata dai ladri.
- Ti hanno rubato molti oggetti di valore sia materiale sia affettivo.
- Hai visto uno dei ladri in faccia.
- Denuncia il fatto allo studente B che fa la parte di un poliziotto.
- Lo studente B ti farà alcune domande per compilare il modulo di denuncia.

Studente B

- Fai la parte di un poliziotto. Lo studente A è stato vittima di un furto nel proprio appartamento e vuole denunciare il fatto. Ha visto uno dei ladri in faccia.
- Chiedigli di descrivere il ladro (età approssimativa, corporatura, statura, colore dei capelli e degli occhi ...) e fagli le domande necessarie per compilare il seguente modulo.

DENUNCIA DI FURTO

Il sottoscritto (indicare: nome, cognome, data e luogo di nascita, residenza, nazionalità, domicilio in Italia, numero del passaporto)

_____

_____

_____

Denuncia di essere stato derubato dei seguenti oggetti

_____

_____

_____

il giorno _____ alle ore _____ in località _____
Circostanze e modalità con le quali è stato commesso il furto:

_____

_____

_____

_____

_____

_____

_____

Il danno ammonta a lire _____ Coperto/non coperto da assicurazione _____.

Data _____ Firma _____

SCRITTURA

Scrivi un fax da inviare ad un amico che ti aveva chiesto di informarti sui corsi di inglese nella tua città, scusandoti per non averlo ancora fatto, a causa di un furto nel tuo appartamento. Racconta brevemente la tua esperienza, parla del tuo stato d'animo e digli che gli spedirai al più presto le informazioni richieste.

Espressioni utili

- Scusami se non ti ho scritto prima, ma ...
- Mi dispiace, ma ...
- Non ho potuto ancora ...

- Sono molto depresso ...
- E' una cosa terribile ...
- Non puoi neanche immaginare ...
- Non so più che cosa fare ...
- Sono molto giù di morale ...
- Ho il morale sotto i piedi ...
- Che confusione!
- Che disordine!
- Che spavento!

...

MESSAGGIO FAX

DATA _____

DA _____

A _____

ALL'ATTENZIONE DI_____

N. PAGINE, INCLUSA LA PRESENTE

_____

OGGETTO

_____

In caso di mancata o irregolare ricezione, vi preghiamo contattare il seguente n. telefonico 0183 458931

GLI ITALIANI E LA TV

PRELETTURA

TU
Indica con una x l'affermazione che ritieni vera.

1. Secondo la maggioranza degli italiani, la vita senza televisore sarebbe
[a] più felice   [b] più tranquilla   [c] più noiosa

2. La maggioranza dei telespettatori italiani pensa che la TV
[a] rilassi   [b] non faccia pensare ai problemi   [c] informi

3. La maggioranza degli italiani non potrebbe mai rinunciare
[a] al frigorifero   [b] alla lavatrice   [c] al televisore

4. La maggioranza degli italiani guarda la televisione
[a] dalle 20.30 alle 23.00   [b] dalle 19.30 alle 22.00   [c] dalle 12.30 alle 14.00

La maggior parte degli italiani trascorre davanti alla TV
[a] fino a due ore   [b] dalle 2 alle 4 ore   [c] più di 4 ore

LETTURA

Leggi la seguente relazione sui risultati di un sondaggio sugli italiani e la TV e confrontala con le tue risposte.

GLI ITALIANI E LA TV

Il televisore è l'incontrastato re delle serate delle famiglie italiane; coloro che riescono a farne a meno sono pochissimi.
Per la maggior parte degli italiani la vita senza la televisione sarebbe più noiosa e solitaria. Molti, però, pensano che la vita sarebbe senz'altro più tranquilla, se non addirittura più felice.
Oltre il 50% degli italiani ritiene che la TV informi, rilassi, non faccia pensare e diverta.
La maggioranza degli italiani potrebbe tranquillamente rinunciare a quasi tutti gli elettrodomestici ad esclusione del frigorifero, seguito subito dopo dal televisore.
Sono poco meno della metà i telespettatori che davanti al teleschermo acceso si limitano a guardare la TV; gli altri mangiano o bevono qualcosa oppure sbrigano le faccende domestiche o addirittura fanno altre cose.
Un dato curioso è che molti genitori ritengono che i bambini debbano guardare più televisione.
Dal sondaggio è anche emerso che l'orario di massimo ascolto è quello che va dalle 20.30 alle 23.00.

TU E GLI ALTRI

Intervista i tuoi compagni e compila la seguente tabella, indicando con una x le risposte.

CHE COSA FAI ABITUALMENTE DAVANTI AL TELEVISORE?	1	2	3	4	5	6	7	8	9	10	TOT.
nient'altro che guardare la TV											
mangio o bevo qualcosa											
sbrigo faccende domestiche											
chiacchiero											
leggo											
amoreggio											
altro											
SECONDO TE, I BAMBINI DOVREBBERO ...											
guardare meno televisione											
guardare più televisione di quanto facciano											
guardare tutta la televisione che vogliono											
QUALI SONO I MAGGIORI PERICOLI DELLA TV?											
danneggia il fisico perché obbliga all'immobilità											
non presenta nessun pericolo											
produce stupidità											
altro											
QUALI SONO I MAGGIORI PREGI DELLA TV?											
informa											
rilassa											
non fa pensare ai problemi											

diverte												
concilia la riflessione												
non ha nessun pregio												
altro												

QUALI PROGRAMMI TELEVISIVI PREFERISCI?

film e telefilm												
telegiornali												
varietà, giochi a premi, quiz												
sport												
attualità												
sceneggiati												
documentari, servizi di cultura												
altro												

COME SAREBBE LA VITA SENZA TELEVISORE?

più noiosa												
più solitaria												
più tranquilla												
più felice												

QUANTE ORE AL GIORNO TRASCORRI DAVANTI AL TELESCHERMO?

fino a due ore												
dalle 2 alle 4 ore												
più di 4 ore												

A QUALI DEI SEGUENTI ELETTRODOMESTICI POTRESTI RINUNCIARE? (SCEGLINE UNO SOLO)

lavastoviglie												
radio												
lavatrice												
impianto hi-fi												
frigorifero												

STRUTTURE

Completa le frasi , scegliendo tra le seguenti parole quelle più adatte.

di più	**molti**	**maggior**	**di meno**	**maggioranza**
meno	**maggiori**	**oltre**	**molta**	**minoranza** **peggiori**

1. I bambini dovrebbero trascorrere _____ ore davanti alla TV.
2. La _____ parte degli italiani trascorre davanti alla TV poco più di tre ore.
3. La _____ dei teleutenti ritiene che la TV sia un importante strumento di informazione.
4. Spesso i programmi _____ vengono trasmessi in tarda serata.
5. Mi piacciono i quiz, ma ancora _____ gli sceneggiati.
6. Penso che i pregi della TV siano _____ dei difetti.
7. Solo una _____ delle persone intervistate potrebbe rinunciare al televisore.
8. _____ genitori permettono che i bambini guardino la TV senza alcun controllo.
9. _____ tutto la TV fa male alla vista!
10. In quel canale c'è _____ pubblicità.

LESSICO

Aiutandoti con il dizionario, scrivi la definizione delle seguenti parole.

1. lo schermo _____

2. il videoregistratore _____

3. la videocassetta _____

4. il telecomando _____

5. l'antenna _____

6. il canale _____

7. la telecamera _____

8. le cuffie

_____
_____
9. il televideo
_____
_____
10. la parabolica
_____
_____

SCRIVERE

Scrivi una breve relazione sui risultati del sondaggio della sezione "Tu e gli altri", utilizzando il modello a p. 35.

Parole ed espressioni utili

- Alcuni...

- Pochissimi...

- Per la maggior parte ...
- Molti, però, pensano che ...

- Oltre il 50% ritiene che...
- Sono più della metà quelli che ...
- La maggioranza ...

- Sono poco meno della metà quelli che ...; gli altri ...

- Un dato curioso è che ...
- Dal sondaggio è anche emerso che ...

CACCIA AL TESORO

PRELETTURA

TU

A - *Quali sono i principali problemi della tua città?*
Indicane almeno tre, aiutandoti con il seguente elenco.

[ ] inquinamento
[ ] mancanza di verde
[ ] rumori
[ ] criminalità
[ ] traffico
[ ] disoccupazione
[ ] altro ...

B - *Se tu fossi il sindaco della tua città, che cosa faresti per risolvere i problemi che hai indicato?*
Scrivi alcuni appunti da utilizzare, in seguito, per la discussione con i tuoi compagni.

TU E GLI ALTRI

In coppia o a gruppi
Confronta i tuoi appunti con quelli dei tuoi compagni e discutete le diverse soluzioni trovate.

LETTURA

A
Leggi le seguenti domande.
Hai 5 minuti di tempo per sottolineare nel testo "Caccia al tesoro ma solo in bici" le risposte
e scrivere accanto ad ognuna il numero della domanda corrispondente.

1. In quale località si svolgerà la gara?
2. In che cosa consiste questa gara?
3. Perché è stata organizzata la caccia al tesoro?
4. A che ora e dove si riuniranno i concorrenti?
5. A che ora e dove si terrà la premiazione?
6. Quali sono i premi?

B - *In coppia*
Confronta le tue risposte con quelle di un compagno e discutete le eventuali differenze.

Caccia al tesoro ma solo in bici

Caccia al tesoro ecologica organizzata da Vivalassio. Oggi pomeriggio i concorrenti potranno spostarsi solo in bicicletta o a piedi. L'obiettivo è quello di far divertire ma anche riflettere sull'uso delle auto nei centri urbani.

ALASSIO - Una caccia al tesoro con un pizzico di ecologia. Una maniera per divertirsi e per lanciare un messaggio.

Bandite le moto, le auto, e tutto ciò che si muove con un motore, i partecipanti alla gara potranno utilizzare, per i loro spostamenti, soltanto delle sem-
5 plici biciclette.

La manifestazione, organizzata da Vivalassio, è in programma per questo pomeriggio. La gara consiste nella soluzione di domande quiz e giochi che dovranno essere consegnati nel minore tempo possibile nei posti di controllo. Il raduno dei concorrenti è previsto alle 14 nella piazza del Comune.

10 «Vogliamo far divertire i turisti - commenta Lino Vena, presidente di Vivalassio - lanciando però anche un invito: quello di ridurre all'indispensabile l'utilizzo delle auto; anche perché la nostra città è piccola e può essere girata tranquillamente a piedi. Ed è proprio a piedi che si riesce a godere meglio le bellezze naturali di Alassio». Per i primi gruppi classificati ci sono in palio bi-
15 ciclette "Mountain bike" Olmo, macchine fotografiche "Haking Vision", zaini e altri premi ancora. La premiazione sarà fatta questa sera, a partire dalle 21,30, sempre nella piazza del Comune, e sarà animata dallo speaker Roberto Degola.

La caccia al tesoro "Per una estathè tutta Ferrero" giunge quest'anno alla
20 sua ottava edizione. Si tratta di un appuntamento particolarmente atteso soprattutto dai giovani in vacanza ad Alassio.

An. Ta

LESSICO

Che cosa vuol dire ...?

Con riferimento al testo "Caccia al tesoro ma solo in bici", abbina le parole della colonna A con le definizioni della colonna B, come nell'esempio.

A	B
1 [d]. pizzico (r.1)	a. attività svolte per divertirsi
2 [ ]. bandite(r. 3)	b. dovrebbe avvenire
3 [ ]. gara (r. 4)	c. come premio
4 [ ]. giochi (r. 7)	d. piccola quantità
5 [ ]. è previsto (r. 9)	e. aspettato
6 [ ]. all'indispensabile (r. 11)	f. incontro di più persone
7 [ ]. godere (r. 13)	g. provare piacere
8 [ ]. in palio (r. 14)	h. competizione
9 [ ]. raduno (r. 9)	i. allo stretto necessario
10 [ ]. atteso (r. 20)	l. vietate

STRUTTURE

A
Trova l'infinito dei verbi in neretto e volgili al passato prossimo, come nell'esempio.

Es.: Alla "Caccia al tesoro" **partecipano** molti giovani.   (partecipare - hanno partecipato)

1. La gara **consiste** nella soluzione di domande quiz.
2. E' bandito tutto ciò che si **muove** con un motore.
3. La manifestazione **inizierà** alle 14.00.
4.I partecipanti **utilizzano** solo la bicicletta.
5. I concorrenti **vanno** in piazza.
6. I vincitori **riceveranno** ricchi premi.
7. **E'** una bella manifestazione.
8. La caccia al tesoro **giunge** alla sua ottava edizione.
9. Non **partecipiamo** alla gara.
10. I turisti **si divertono** molto.

B - *Volgi al passato prossimo le seguenti frasi.*

NOTE:

1) I verbi "potere, dovere e volere" nei tempi composti richiedono l'ausiliare dell'infinito che segue.

Esempi: Non sono andato ad Alassio.   Non **sono potuto** andare ad Alassio.
                      Non ho partecipato al gioco.   Non **ho potuto** partecipare al gioco.

2) Ricordati che, quando l'ausiliare è il verbo "essere", il participio passato si accorda con il soggetto.

Esempi: Non sono andato ad Alassio.   Non **sono potuto** andare ad Alassio.
                      Non sono andata ad Alassio.   Non **sono potuta** andare ad Alassio.
                      Non siamo andati ad Alassio.   Non **siamo potuti** andare ad Alassio.
                      Non siamo andate ad Alassio.   Non **siamo potute** andare ad Alassio.

---

1. Chiunque **può** partecipare al gioco.
2. I concorrenti **devono** rispettare le regole.
3. **Devono** partire in ritardo a causa del cattivo tempo.
4. Non **possiamo** usare né macchine né moto.
5. **Dobbiamo** arrivare entro le 14.
6. Le nostre amiche **vogliono** tornare a piedi.
7. Quanto **dovete** pagare per partecipare?
8. Mia sorella non **può** rimanere fino alla fine.
9. Gli organizzatori **vogliono** offrire ai turisti una serata divertente.
10. Non **voglio** andare alla manifestazione.

Il DUBBIO

Cancella la forma errata.

1. Nelli/Nei centri urbani il traffico è caotico.

2. Ho fatto il turista/il turisto.

3. La giornata è stata particolaremente/particolarmente afosa.

4. Sono andata in vacanza/in vacanze ad Alassio.

5. Sono in palio ricchi premi/premii.

6. La manifestazzione/manifestazione ha avuto successo.

7. Alassio è una bella città/citta.

8. La "caccia al tesoro" è un appuntamento/un'appuntamento molto atteso.

9. I giovani/giovanni hanno partecipato numerosi.

10. Voliamo/vogliamo partecipare alla gara.

POSTLETTURA

Parla di una manifestazione *(estiva/invernale/sportiva/culturale/gastronomica/musicale...)* alla quale hai assistito o partecipato. Puoi utilizzare la seguente traccia.

1. Dove si svolge/si è svolta la manifestazione?
2. Quando si svolge/si è svolta?
3. Come si svolge/si è svolta?
4. Perché si svolge/si è svolta?
5. Chi c'era/ha partecipato/è stato premiato?
6. Quali erano i premi?
7. Che cosa bisognava fare?

Parole ed espressioni utili

> - L'altra sera sono andato/a a...
> - La manifestazione si svolge ogni anno ...
> - Hanno consegnato un premio a ...
> - C'era molta gente ...
> - E' una manifestazione che si svolge da circa ...
> - Si chiama ...
> - Consiste nel ...
> - In questa/quella occasione ...
> - E contemporaneamente ...
> - Vengono premiati anche ...
> - E' divertente/interessante/noiosa/famosa ...

SCRITTURA

Immagina di aver partecipato alla manifestazione svoltasi ad Alassio (vedi l'articolo "Caccia al tesoro ma solo in bici").
Scrivi una lettera ad un amico/un'amica e racconta la tua esperienza.

ATTIVITÀ SUPPLEMENTARI

A.
I seguenti verbi sono tutti riferiti al testo "Caccia al tesoro ma solo in bici".
Trova i sostantivi con la stessa radice, come nell'esempio.

Esempio: radunare   *raduno*

1. partecipare   _____
2. organizzare   _____
3. divertire   _____
4. spostare   _____
5. manifestare   _____
6. invitare   _____
7. classificare   _____
8. premiare   _____
9. attendere   _____
10. cacciare   _____

> Note: **1.** Davanti al suffisso -ione la z non raddoppia mai.
> Esempi: *eccezione, eccezionale, nazione, nazionale, azione.*
> **2.** I sostantivi con il suffisso -ante e -ente hanno la stessa forma del participio presente del verbo da cui derivano e indicano colui che compie l'azione espressa dal verbo.
> Esempi: *manifestante, partecipante, concorrente, studente*

B.
PER LA DISCUSSIONE

La classe si divide in coppie. Ogni coppia prepara alcuni appunti sull'argomento "traffico", finalizzati alla discussione in classe.

Si può seguire la seguente traccia:
1. Indicate alcuni **problemi** causati dal traffico.
2. Indicate le possibili **cause**.
3. Suggerite possibili **soluzioni**.
4. Confrontate i vostri appunti con quelli di un'altra coppia.
5. Discutete l'argomento con tutta la classe.

SCUOLAMBIENTE

PRELETTURA_____

TU

A - *Rispondi alle seguenti domande.*

Secondo te, quali sono i problemi più gravi nel tuo paese?

_____

_____

_____

Quali sono i più gravi problemi ambientali nella zona in cui vivi?

_____

_____

_____

Quali sono le possibili cause dei problemi citati?

_____

_____

_____

Nella tua città ci sono raccoglitori dove si possono buttare dei tipi particolari di rifiuti per essere riciclati? Se sì, per quali tipi di rifiuti?

_____

_____

_____

_____

_____

_____

Chi, secondo te, dovrebbe fare di più per conservare o migliorare l'ambiente nella zona in cui vivi?

_____

_____

B

TU E GLI ALTRI

Confrontate e discutete le vostre risposte con quelle di altri compagni, integrando il vostro questionario.

LETTURA

Confrontate e integrate, infine, il vostro questionario con quello della SCUOLAMBIENTE a pp. 49-50.

POSTLETTURA

- Intervistate alcuni compagni delle altre classi e compilate il questionario della Legambiente (dovete fare una traduzione orale nella vostra madre lingua per i compagni che non conoscono l'italiano).
- Elaborate i dati e discutete in classe in italiano i risultati della vostra inchiesta.

SCRITTURA

Scrivi un articolo per il giornalino di classe (o una relazione da inviare al tuo corrispondente italiano) sui risultati dell'inchiesta.

ATTIVITÀ SUPPLEMENTARI

Inviate il vostro questionario ad una classe italiana e chiedete di compilarlo, di elaborare i dati e di inviarvelo unitamente ad una breve relazione sui risultati.

SCUOLAMBIENTE

	1	2	3	4	5	6	7	8	9	10	TOT.
1. Secondo te, quali sono i problemi più gravi nel tuo paese? Scegline al massimo tre, fra quelli qui elencati.											
la criminalità											
la mafia											
la droga											
la corruzione dei politici											
l'inquinamento/il degrado dell'ambiente											
la disoccupazione											
l'inflazione											
le condizioni di vita degli anziani											
la crisi economica											
il debito pubblico eccessivo											
lo spreco delle risorse energetiche											
l'emigrazione degli extra-comunitari											
il razzismo											
altro											
2. Quali sono i più gravi problemi ambientali nella zona in cui vivi?											
nessuno											
gli inceneritori dei rifiuti											
le ciminiere e gli scarichi delle industrie											
il riscaldamento delle case											
i gas di scarico dei mezzi di trasporto (auto, camion, ecc.)											
le centrali termoelettriche											
le discariche a cielo aperto											
gli allevamenti intensivi											
l'agricoltura (concimi chimici, diserbanti, ecc.)											
altro											

3. Nella tua città ci sono raccoglitori dove si possono buttare dei tipi particolari di rifiuti per essere riciclati? Se sì, per quali tipi di rifiuti?

no													
il vetro													
la carta													
la plastica													
l'alluminio													
le pile scariche													
i farmaci scaduti													

4. Chi, secondo te, dovrebbe fare di più per conservare o migliorare l'ambiente nella zona in cui vivi?

il governo													
i comuni													
le regioni													
le industrie													
i singoli cittadini													
le associazioni ambientaliste													

5. Secondo te, quali sono i comportamenti utili per migliorare l'ambiente in cui viviamo?

portare vetro, carta, pile scariche, ecc., negli appositi contenitori													
risparmiare l'acqua di casa													
utilizzare detersivi meno inquinanti													
risparmiare corrente elettrica													
riscaldare meno la casa o evitare che si disperda il calore (doppi vetri)													
non disperdere rifiuti (plastiche, barattoli, ...) nell'ambiente													
usare di meno l'automobile e di più i mezzi pubblici													
usare auto con marmitta catalitica													
usare carta riciclata													
scegliere prodotti con confezioni biodegradabili o riciclabili													
non comperare alimenti trattati chimicamente													

STRUTTURE

Completa con gli articoli determinativi.

_____ problemi più gravi nel mio paese sono _____ degrado dell'ambiente, _____ spreco delle risorse energetiche, _____ criminalità, _____ disoccupazione e _____ inflazione.

_____ inceneritori dei rifiuti, _____ scarichi delle industrie, _____ riscaldamento delle case e _____ gas di scarico dei mezzi di trasporto rappresentano _____ più gravi problemi ambientali nella zona in cui vivo.

A mio parere, per conservare o migliorare _____ ambiente in cui viviamo, dovrebbero fare di più sia _____ governo sia _____ regioni sia _____ singoli cittadini.

Per migliorare _____ ambiente, _____ singoli cittadini dovrebbero portare negli appositi contenitori: _____ vetro, _____ carta, _____ plastica, _____ pile scariche _____ farmaci scaduti.

Inoltre, dovrebbero da una parte riscaldare meno _____ case e evitare _____ dispersione di calore e dall'altra usare meno _____ automobile e di più _____ mezzi di trasporto.

IL DUBBIO

Indica con una x la frase che non contiene l'errore.

1.	Le possibile cause sono varie.	[a]
	Le possibili cause sono varie.	[b]
2.	I farmachi scaduti sono molto dannosi.	[a]
	I farmaci scaduti sono molto dannosi.	[b]
3.	Il WWF e la Legambiente sono associazioni ambientaliste.	[a]
	Il WWF e la Legambiente sono associazioni ambientalistiche.	[b]
4.	Non bisogna disperdere rifiuti in l'ambiente.	[a]
	Non bisogna disperdere rifiuti nell'ambiente.	[b]
5.	L'emigrazione dei extra-comunitari è aumentata.	[a]
	L'emigrazione degli extra-comunitari è aumentata.	[b]
6.	E' necessario risparmiare la corrente elettrica.	[a]
	E' necessario risparmiare la corrente eletrica.	[b]
7.	Bisogna usare di più i mezzi di trasporto publico.	[a]
	Bisogna usare di più i mezzi di trasporto pubblico.	[b]
8.	La criminalità è un grave problema.	[a]
	La criminalità è una grave problema.	[b]
9.	Gli scarichi delle industrie inquinano l'ambiente.	[a]
	Gli scarichi delle industrie inquina l'ambiente.	[b]
10.	C'è un enorme spreco di risorse energetiche.	[a]
	C'è un enorme spreco di risorse energetico.	[b]

RICERCA DI PAROLE

- Nello schema sono nascoste parole riferite all'ambiente.
- Queste parole sono date qui di seguito in ordine alfabetico.
- Voi dovete ricercarle orizzontalmente, verticalmente, diagonalmente, da sinistra a destra o viceversa e segnare, come nell'esempio, i nomi via via trovati.
- A soluzione ultimata, le lettere non segnate, lette di seguito, indicheranno uno dei più gravi problemi ecologici della terra.

  Chiave:_ _ _ _ _ _ _   _ _ _ _ _

[ ] acqua
[ ] ambiente
[ ] aria
[ ] biodegradabile
[ ] carta
[ ] clima
[ ] detersivi
[ ] diossina
[ ] discarica
[x] **ecologia**
[ ] energia
[ ] fauna
[ ] flora
[ ] fumo

[ ] gas
[ ] habitat
[ ] inceneritori
[ ] inquinamento
[ ] ozono
[ ] pesticida
[ ] pile
[ ] plastica
[ ] riciclaggio
[ ] rifiuti
[ ] riscaldamento
[ ] smog
[ ] vetro

B	A	T	R	A	C	A	N	I	S	S	O	I	D
E	I	P	E	S	T	I	C	I	D	A	T	■	E
F	N	O	E	C	O	L	O	G	I	A	N	D	T
O	C	Z	D	C	L	I	M	A	V	■	E	I	E
I	E	O	F	E	F	U	M	O	E	E	M	S	R
G	N	N	E	L	G	T	P	■	T	E	A	C	S
G	E	O	N	I	T	R	L	T	R	T	D	A	I
A	R	A	E	P	A	I	A	O	O	N	L	R	V
L	I	N	R	A	T	A	S	D	S	E	A	I	I
C	T	U	G	U	I	R	T	E	A	I	C	C	S
I	O	A	I	Q	B	O	I	S	R	B	S	A	M
C	R	F	A	C	A	L	C	A	I	M	I	R	O
I	I	R	A	A	H	F	A	G	A	A	R	L	G
R	O	T	N	E	M	A	N	I	U	Q	N	I	E

NATURALMENTE

PRELETTURA_____

TU

A - *Rispondi alle seguenti domande.*

1. Perché sono importanti i parchi nazionali?
2. Quali sono i parchi naturali più conosciuti nel tuo paese?
2. Parla di un parco nazionale che conosci o che hai visitato.

TU E GLI ALTRI

B - *A gruppi.*

Completate il seguente decalogo.

Il visitatore modello di un parco:
1. *dovrebbe* informarsi prima di visitarlo.

2. *non dovrebbe* raccogliere i fiori.

3. ....

4. ....

5. ....

6. ....

7. ....

8. ....

9. ....

10. ....

DECALOGO NATURALISTA. Alla fine delle cinque settimane durante le quali abbiamo accompagnato, spero piacevolmente, i lettori di «Sorrisi» alla scoperta o alla riscoperta dei Parchi nazionali italiani mi sembra possa essere utile e anche gradito chiudere questo viaggio ideale riportando il decalogo del «visitatore modello» di un Parco. Questo semplice e saggio compendio di regole di comportamento ambientale è stato scritto da Franco Tassi, membro del Comitato Parchi nazionali d'Italia e consigliere nazionale del Wwf, un manager dall'anima ambientalista, preparato e capace, che, ricorderete, è anche il «direttore-ispiratore» del Parco nazionale d'Abruzzo.

«Il Parco nazionale è un bene di tutti: conserviamolo anche per coloro che verranno dopo di noi.

1) Informati a fondo sul Parco prima e durante la visita: approfondisci i suoi problemi, discuti con le persone interessate, recati ai centri di visita o negli altri punti principali di attrazione e informazione.

2) Quando sei nel Parco, cerca di comportarti nel modo più "ecologico" possibile: consuma poco, disturba meno ancora. Ricorda che rumori, vandalismi e rifiuti sono il biglietto da visita dei maleducati.

3) I veicoli a motore servono per avvicinarsi al Parco e percorrere le arterie principali, non per entrare nel cuore della natura. Niente corse, fuoristrada, gimkane e giri in auto o moto sui prati o nei boschi. I veicoli a motore vanno usati il meno possibile e mai fuori dalle strade carrozzabili.

4) Percorri almeno un paio di itinerari naturalistici a piedi (o in certi casi a cavallo o a dorso di mulo). Assapora il distacco dalla civiltà moderna e tecnologica e cerca di capire a fondo l'ambiente in cui ti trovi, immedesimandoti nella natura.

5) Non raccogliere fiori, non spezzare rami o incidere tronchi. Non accendere fuochi (se non nei luoghi consentiti). Potresti causare incendi gravissimi, contribuendo in modo non trascurabile al generale impoverimento dell'ambiente naturale.

6) Non portare con te cani (neppure al guinzaglio), chitarre o radioline, ma piuttosto un binocolo, una macchina fotografica e una mappa per meglio percepire la realtà che ti circonda.

7) Se hai la fortuna di osservare gli animali selvatici, comportati con rispetto e discrezione. Non schiamazzare, non inseguirli, ma godi nel silenzio quei preziosi istanti di contatto con la natura selvaggia, sempre più rara nel mondo, che certamente non dimenticherai.

8) Il personale del Parco è duramente impegnato nello svolgimento dei propri compiti: vi sono pochi elementi e moltissimo lavoro.

9) Segnala subito al personale e alla direzione del Parco ogni inconveniente di rilievo da te riscontrato, in modo che si possa cercare di intervenire tempestivamente per eliminarlo.

10) Se l'esperienza del contatto con il Parco ti è piaciuta, diventa anche tu un difensore della natura. Sono parecchi i modi in cui i pochi che amano la natura possono cercare di contenere o riparare i guasti dei molti che ancora la distruggono o la ignorano».

E ci sembra giusto chiudere con questa citazione del National Park Service: «Non lasciare altro che l'impronta del tuo piede. E non portar via che fotografie, impressioni e ricordi».

MARIAPAOLA CASASCO DE LEIDI

A - *Leggi velocemente il testo "Naturalmente" e scrivi sopra ad ognuna delle seguenti illustrazioni il numero del decalogo al quale si riferisce, come nell'esempio.*

Tieni presente che i vari punti del decalogo possono contenere più regole di comportamento.

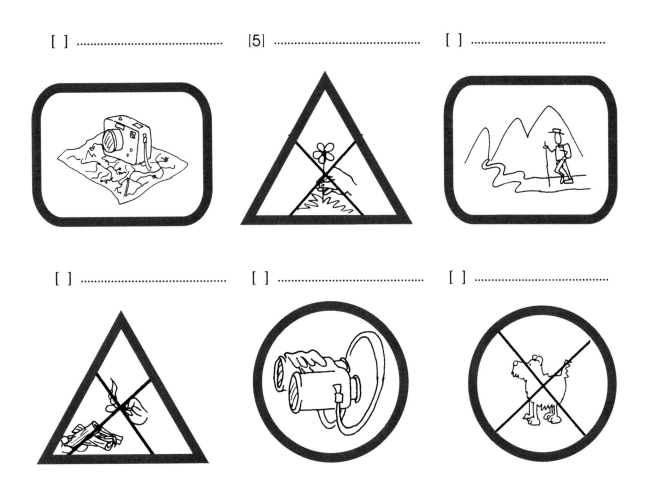

[ ] ....   [5] ....   [ ] ....

[ ] ....   [ ] ....   [ ] ....

B - *Con riferimento all'esercizio precedente e aiutandoti con il testo "Naturalmente", scrivi sopra ogni illustrazione il suo significato, come nell'esempio.*

(5) *non raccogliere fiori*

A - *Rileggi il testo "Naturalmente" e completa la seguente tabella.*

IL VISITATORE MODELLO DI UN PARCO

Dovrebbe ...	Non dovrebbe ...
Informarsi sul parco	raccogliere fiori, ...

B - *Confronta la tua tabella con quella di un compagno e discuti le eventuali differenze.*

LESSICO

Completa le seguenti frasi scegliendo le parole adatte, come nell'esempio.

```
[ ] incendi    [ ] ogni inconveniente  [ ] cani              [ ] i problemi del parco
[ ] fuochi     [ ] rifiuti             [ ] veicoli a motore  [ ] un binocolo
[x] rumore     [ ] tronchi             [ ] poco              [ ] animali              [ ] fiori
```

ESEMPIO:

non fare   *rumore* _____

1. non accendere   _____
2. non raccogliere   _____
3. non incidere   _____
4. non lasciare   _____
5. non usare   _____
6. approfondire   _____
7. non portare   _____
8. portare   _____
9. non inseguire   _____
10. segnalare   _____

STRUTTURE

*Trasforma le seguenti frasi dal **tu** al **Lei**.*

1. Informati sul parco prima e durante la visita.
2. Approfondisci i problemi del parco.
3. Discuti con le persone interessate.
4. Recati ai centri di visita e di informazione.
5. Cerca di comportarti nel modo più "ecologico".
6. Percorri almeno un paio di itinerari naturalistici a piedi.
7. Non raccogliere fiori.
8. Non accendere fuochi.
9. Non portare con te cani.
10. Se hai la fortuna di osservare animali selvatici, non inseguirli.

POSTLETTURA

La classe si divide in due gruppi, con l'obiettivo di preparare un cartellone pubblicitario sul comportamento "ecologico" da tenere in città (a casa, a scuola, al lavoro, per strada, nei locali pubblici, ...).

I due gruppi, dopo aver discusso ed integrato i propri elenchi, preparano il cartellone pubblicitario, aggiungendo fotografie, illustrazioni, disegni, ecc.

SCRITTURA

Stai svolgendo una ricerca sui parchi italiani. Scrivi una lettera circolare da inviare alle direzioni dei parchi nazionali, chiedendo informazioni generali (caratteristiche naturali: ambiente, clima, flora e fauna, ...), dépliant, manifesti e consigli sul periodo dell'anno in cui è preferibile organizzare eventuali visite.

PARCHI NAZIONALI

Gran Paradiso (Valle d'Aosta e Piemonte)
Ente Autonomo
Via della Rocca, 47
10123 TORINO

Stelvio (Lombardia e Trentino-Alto Adige)
Azienda di Stato per le Foreste Demaniali
23032 Bormio - prov. di Sondrio

Parco del Circeo (Lazio)
Regione Lazio
04016 Sabaudia - Latina

Parco d'Abruzzo (Abruzzo, Molise, Lazio)
Ente Autonomo
67032 Pescasseroli - L'Aquila

Parco della Calabria (Calabria)
Regione Calabria
87100 Cosenza

VACANZE

PRELETTURA_____

TU E GLI ALTRI
In coppia

A - *Discutete i vantaggi e gli svantaggi delle vacanze al mare e in montagna.*

Parole ed espressioni utili

- Quali sono, secondo te, i vantaggi di ...?
- E gli svantaggi ...?
- Per me non ce ne sono ...
- Secondo me, non ci sono molti svantaggi ...
- Ci sono molti vantaggi ...
- Lo svantaggio principale è ...
- A mio parere, ci sono molti svantaggi ...
- Per quanto riguarda ...
- Un altro vantaggio è ...
- In alcuni casi ...
- Il principale è ...
- Dipende da ...
- Se ...
- Altrimenti ...
- Mentre ...
- Invece ...
- In genere ...
- Poi ...
- Quindi ...
- Inoltre ...
- Infine ...

B - *Compilate la seguente tabella, in base a quanto emerso dalla discussione.*

VACANZE	VANTAGGI	SVANTAGGI
Al mare	1. _____ 2. _____ 3. _____	
In montagna	1. _____ 2. _____ 3. _____	

LETTURA

1. La classe viene divisa in tre gruppi: A, B e C.

2. Ogni gruppo legge rispettivamente uno dei testi sotto indicati sulle vacanze, sottolinea i vantaggi di quel particolare tipo di vacanza, li riassume in poche parole chiave e compila la sua parte della seguente tabella.

A."L'ora dei villaggi"   B. "Caravan, che gioia!"   C."Ritorno alla terra"

	VANTAGGI
A. "L'ora dei villaggi"	
B. "Caravan, che gioia"	
C. "Ritorno alla terra"	

3. Ogni gruppo completa la tabella, intervistando gli altri gruppi.

L'ora dei villaggi

Come avviene in tutti i paesi industrializzati anche in Italia la vacanza è diventata un'esigenza primaria alla quale pochi sono disposti a rinunciare.

E quello del turismo è quindi un settore decisamente in crescita che continua a sfornare nuove offerte che però si accavallano alle precedenti formando una giungla di destinazioni, alberghi, operatori turistici, mezzi di trasporto, prezzi e tariffe che spesso disorientano i turisti. «Proprio per evitare questi problemi - spiega Roberta Candus, direttore commerciale del Club Méditerrané, una delle società leader del settore - sono sempre di più gli italiani che scelgono la formula del villaggio turistico che consente loro di predeterminare un bilancio senza sorprese (trasporti, vitto, alloggio, attività sportive sono tutti compresi nel prezzo) e di godersi la vacanza senza patemi. Al resto pensiamo tutto noi, dai trasferimenti all'animazione, dal servizio di baby sitter alla scelta degli istruttori sportivi più qualificati».

«La formula villaggio ha tanto successo non solo perché è pratica, comoda e tutto sommato economica - aggiunge Fabio Franchi, il dirigente del settore che gestisce i villaggi del Touring Club Italiano, ma anche perché risponde alla grande esigenza di socialità e di aggregazione degli italiani, che trovano nella vita comune dei villaggi una maggiore facilità a stringere rapporti umani e a fare amicizia. I nostri soci si prenotano ormai quasi con un anno di anticipo per poter tornare negli stessi villaggi assieme alle persone con le quali hanno condiviso le precedenti vacanze. Lo scorso anno i quattro villaggi del Touring (Tremiti, La Maddalena, Marina di Camerota e Sciliar) hanno ospitato più di 70 mila soci - conclude Franchi - ma quest'anno le prenotazioni saranno senz'altro di più anche perché gli italiani hanno scoperto che le vacanze nei mesi di giugno e settembre, tradizionalmente considerati di bassa stagione, riservano grandi vantaggi come i prezzzi più bassi e un minor affollamento».

Caravan, che gioia!

Il caravan è una realtà da tempo diffusa negli Stati Uniti e in molti paesi europei, dalla Germania alla Francia, dall'Olanda alla Gran Bretagna, che si sta diffondendo anche in Italia e raccoglie un numero sempre maggiore di appassionati. Infatti sono già oltre due milioni gli italiani che, con tende, caravan e motocaravan, hanno scelto la strada del turismo en plein air. I vantaggi di questo tipo di vacanza sono molteplici: costi dimezzati, vita all'aria aperta e possibilità di cambiare rapidamente località se quella prescelta non piace.

Gli oltre 2000 campeggi italiani sono in grado di accogliere circa 30 milioni di presenze annue, ma non sempre i servizi e le strutture sono adeguati e spesso i prezzi sono ingiustificatamente sproporzionati.

Così chi possiede un camper o un motorhome (circa 100 mila persone nel nostro paese) sempre più spesso preferisce andare all'estero dove trova un maggior numero di campeggi ben organizzati (più di 7000 solo in Francia) oltre ad aree attrezzate completamente gratuite.

Ritorno alla terra

Sebbene relativamente nuova, la formula di vacanza agrituristica raccoglie in Italia sempre più consensi. Ma che cosa attira la gente in campagna?

«Le risposte sono tante - spiega Claudio Gelmini, autore di una guida all'agriturismo edita da Calderini -. Innanzitutto la possibilità di trascorrere una vacanza di autentico riposo lontano dai sovraffollamenti e dallo sfruttamento economico delle stazioni di grande turismo trasformatesi ormai in posti difficilmente vivibili. Recenti indagini della Comunità economica europea hanno evidenziato come circa il 58 per cento dei turisti dia un'importanza fondamentale alla scelta del luogo di vacanza, alla validità naturalistica del posto. In questo senso il paesaggio rurale, con la sua armonia, la sua solenne e al tempo stesso semplice bellezza, rappresenta una specie di oasi in cui il turista può riscoprire un modo di esistere praticamente dimenticato e forse mai conosciuto: la vita all'aria aperta, l'interesse verso i problemi naturalistici, il contatto con la vita e la cultura dei contadini, la possibilità di partecipare da osservatori alle diverse fasi della loro attività, il piacere della cucina genuina».

Inoltre l'ospitabilità rurale favorisce la possibilità di visitare zone del paese sfornite di strutture alberghiere o città d'arte dai costi proibitivi. Per quello che riguarda il costo di una vacanza rurale bisogna tener presente che l'agriturismo accomuna ospitalità assai eterogenee: si va da sistemazioni un po' spartane, in cascine, baite, masi e casali, ad alloggi dotati di tutti i comfort essenziali, a edifici (non mancano i castelli e le abbazie) di particolare valore storico e architettonico.

LESSICO

A - *Aiutandoti con il dizionario monolingue, spiega le seguenti frasi o parole tratte dall'articolo "L'ora dei villaggi".*

1. settore in crescita (r. 7)
2. sfornare nuove offerte (r. 8)
3. disorientano i turisti (r. 12)
4. predeterminare un bilancio senza sorprese (r. 18-19)
5. godersi la vacanza senza patemi (r. 21)
6. la formula villaggio è tutto sommato economica (r. 26/28)
7. stringere rapporti umani (r. 35)
8. un anno di anticipo (r. 37)
9. le persone con le quali hanno condiviso le precedenti vacanze (r. 38-40)
10. un minor affollamento (r. 50)

B - **In coppia**
Confrontate le vostre spiegazioni e, quando necessario, consultate nuovamente il dizionario.

Parole ed espressioni utili

- Dobbiamo consultare il dizionario ...
- Secondo me, questa parola vuol dire che ...
- Secondo me, questa frase vuol dire che ....
- Credo che signifĳichi ...
- Potrebbe voler dire ...
- In questo contesto significa ...
- Non so che cosa voglia dire questa parola/espressione.
- Mi dispiace, ma neanche io la conosco.
- Non ne ho la più pallida idea ...
- Il significato non è molto chiaro.
- Potremmo chiederlo al professore/alla professoressa.

STRUTTURE

Completa con le seguenti preposizioni, dove necessario.
Alcune sono usate più di una volta.

per   in   tra   a   con

1. Le vacanze sono diventate quasi una necessità _____ **cui** pochi rinunciano.
2. Le ragioni _____ **cui** sono apprezzati i villaggi turistici sono molte.

3. I giovani preferiscono le località turistiche _____ **cui** possono praticare sport e divertirsi.
4. Il luogo _____ **cui** ho trascorso le vacanze lo scorso anno è molto tranquillo.
5. Sono sempre più numerosi gli italiani _____ **che** scelgono il villaggio turistico.
6. Il caravan è una realtà _____ **che** si sta diffondendo anche in Italia.
7. Il paesaggio rurale è un'oasi _____ **cui** il turista riscopre il contatto con la natura.
8. Gli amici _____ **cui** vado più volentieri in vacanza sono Giacomo e Luisa.
9. Sono molte le associazioni _____ **cui** ci si può rivolgere.
10. Sono tantissime le offerte di vacanze _____ **cui** si può scegliere.

SCRITTURA

Scrivi una lettera ad un amico/un'amica, cercando di convincerlo/convincerla a trascorrere una vacanza con te in un villaggio turistico o in un campeggio o in una fattoria.

ATTIVITÀ SUPPLEMENTARI

A - *Esercizio supplementare sui pronomi relativi.*

Trasforma le frasi dell'esercizio precedente (p. 62), come negli esempi.

Esempi:
Questa è un'agenzia **di cui** ti puoi fidare.
Questa è un'agenzia **della quale** ti puoi fidare.

Sono pochi gli italiani **che** rinunciano alle vacanze.
Sono pochi gli italiani **i quali** rinunciano alle vacanze.

B - *Completa, come negli esempi.*

turista
guida
....
....
....

PERSONE

AZIONI

prenotare
viaggiare
....
....
....

TURISMO

albergo
campeggio
....
....
....

STRUTTURE

IN GENERALE

passaporto
valigia
....
....
....

FERIE DI SOLIDARIETÀ

PRELETTURA

TU

Rispondi alle seguenti domande.

1. Dove vai di solito in vacanza?
2. Con chi vai?
3. Dove andrai quest'anno?
4. Che cosa fai durante le vacanze?

LETTURA

Il testo inizia con la frase *"Si chiamano campi di studio e lavoro".*

A - *Leggi il testo in un minuto e rispondi alle seguenti domande:*
1. In che cosa consiste il lavoro?
2. In che cosa consiste lo studio?

B - *Indica con una x le affermazioni vere e correggi quelle false.*

1. [ ] Chi aderisce deve pagare solo il vitto e l'alloggio.
2. [ ] Durante lo studio vengono approfonditi i problemi del mondo.
3. [ ] I partecipanti sono assicurati in caso di incidenti.
4. [ ] I campi possono durare fino a 15 giorni.
5. [ ] Per pagare le spese dei "campi studio e lavoro", bisogna recuperare materiali riciclabili.
6. [ ] Questi campi sono aperti a tutti, indipendentemente dall'età.

LESSICO

IN ALTRE PAROLE

Con riferimento al testo, completa le seguenti frasi, come nell'esempio.

Esempio: La _____ dei campi di lavoro va dai 10 ai 15 giorni (riga 2).
La **durata** dei campi di lavoro va dai 10 ai 15 giorni.

1. I partecipanti _____ avere un'età compresa tra i 18 anni e i 30 anni (r. 6).
2. Bisogna _____ materiali riciclabili (r. 10).
3. Il ricavato verrà utilizzato per _____ un progetto (r. 13).
4. Lo studio consiste nell' _____ i problemi (r. 20/21).
5. L'organizzazione _____ il vitto e l'alloggio (r. 34/36).

Le vacanze diverse degli studenti

FERIE DI SOLIDARIETA'

S. Ferrara/Marka

Si chiamano «campi di studio e di lavoro» e durano dai 10 ai 15 giorni. Chiunque può aderire: non ci sono steccati ideologici, né politici, né religiosi. Basta avere un'età compresa tra i 18 e i 30 anni, una forte carica di generosità e disponibilità alla vita di gruppo.

Il lavoro consiste nel recupero di materiali riciclabili (carta, cartoni, ferro, metalli vari, stracci, indumenti) o nell'allestire mercatini dell'usato. Il ricavato sarà utilizzato per il finanziamento di un progetto di sviluppo da realizzare in un Paese del Terzo Mondo. C'è poi lo studio che, come spiega Silvia Ferrari, addetta stampa dell'associazione che organizza i campi, «consiste in momenti di riflessione e approfondimento sui problemi che opprimono il Sud del mondo: la fame, il commercio delle armi, lo sfruttamento delle materie prime, la giustizia internazionale, i diritti umani». L'associazione è Mani Tese e ha il suo centro a Milano (per informazioni, via L. Cavenaghi 4, 20149 Milano, tel. 02/48008617 - fax 02/4812296). I giovani che aderiscono all'iniziativa sono coperti da assicurazione infortuni e verso terzi per tutta la durata del campo. Vitto e alloggio sono a carico dell'organizzazione. Il partecipante porta con sé solo gli oggetti personali, le lenzuola o il sacco a pelo, oltre a versare un contributo fisso di 25 mila lire per spese generali. In ogni campo sono previsti gruppi di 30-40 giovani.

Dove si svolgono i campi? Ecco l'elenco completo di quest'anno con il luogo e la data di ciascuno: Verbania (NO) 16-27 luglio; Sesto Fiorentino (FI) 17-27 luglio; Rossiglione (GE) 1-11 agosto; San Giuliano (MI) 20-30 agosto; Acireale (CT) 21 agosto-1° settembre; Bulciago (CO) 21 agosto-1° settembre; Faenza (RA) 22 agosto-4 settembre; Treviso 22 agosto-5 settembre; Gorgonzola (MI) 29 agosto-5 settembre; Pisa 1-10 settembre; Rimini 4-12 settembre. ●

LURIE'S OPINION

CHE FORTUNA! TUTTI QUESTI DISASTRI SONO COSÍ LONTANI DA NOI!

STRUTTURE

A - *Volgi al futuro le seguenti frasi, come nell'esempio.*

Esempio: Ognuno **dà** il proprio contributo.
Ognuno **darà** il proprio contributo.

1. Chiunque può aderire.
2. Il lavoro consiste nel recupero di materiali riciclabili.
3. I giovani che aderiscono all'iniziativa sono coperti da assicurazione.
4. L'alloggio è a carico dell'organizzazione.
5. Il partecipante deve portare con sé solo gli oggetti personali.
6. Vengono affrontati problemi di carattere generale.
7. I partecipanti devono contribuire alle spese con una quota.
8. Molti giovani vogliono trascorrere le vacanze in modo diverso.
9. I partecipanti hanno molto tempo a disposizione per discutere vari argomenti.
10. I campi sono organizzati dall'associazione "Mani Tese".

B - *Trasforma le seguenti frasi, come negli esempi.*

Esempi: Si organizzano campi estivi.
Sono organizzati campi estivi.

Si potranno fare gite.
Potranno essere fatte gite.

1. Si deve stipulare un'assicurazione contro gli infortuni.
2. Si darà un contributo in danaro.
3. Si sono recuperati materiali riciclabili.
4. Si potranno dedicare alcune ore allo svago.
5. Si devono versare 25mila lire per le spese.
6. Si discussero argomenti di carattere generale.
7. Si può fare un progetto sull'ambiente.
8. Si doveva scrivere una relazione.
9. Si vendono prodotti tipici.
10. Si dovrà seguire il regolamento.

Note:
- Per dare al verbo (usato in terza persona singolare e plurale) valore passivo, si usa talvolta il **si**, come nelle frasi dell'esercizio.
- Altre volte il **si** unito ad un verbo, in terza persona singolare, può assumere valore impersonale, come nei seguenti esempi.
  - Si dice che interverrà un esperto. (= dicono che interverrà un esperto)
  - Si è parlato a lungo dell'organizzazione del lavoro.
  - Si è discusso di problemi ambientali.

Nell'articolo si fa riferimento ai problemi che opprimono il "Sud del mondo"; completa la seguente tabella con i problemi che secondo te sono presenti nel resto del mondo.

I PROBLEMI CHE OPPRIMONO IL MONDO

la fame
il commercio di armi
lo sfruttamento delle materie prime
la violazione dei diritti umani
....
....
....
....

ATTIVITÀ

A - *(in gruppo o da preparare a casa)*
Completate la seguente mappa delle idee.

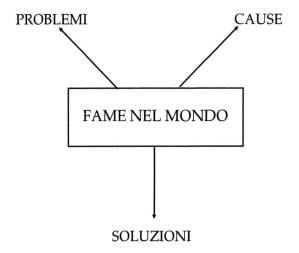

B - *(in gruppo)*
Confrontate la vostra mappa delle idee con quelle degli altri gruppi e, dopo aver discusso eventuali differenze, integratela dove necessario.

Parole ed espressioni utili

- Per incominciare, ...
- I problemi principali sono ...
- Le cause principali sono ...
- Le cause sono molteplici ...
- Inoltre, ...
- Penso che sia necessario ...
- Soprattutto ...
- Si dovrebbe ...
- Sarebbe necessario ...
- Bisogna ...
- Questo problema si potrà risolvere solo quando ...
- L'unica soluzione possibile è ...
- A condizione che ...
- Ci vorrebbe ...
- Non è possibile ...
- Nonostante tutto ...
- Sono d'accordo.
- Non sono d'accordo.
- In conclusione, ...

C - *(in gruppo)*
Preparate una mappa delle idee su uno dei seguenti argomenti:

- incendi (vedi esempio, p. 114)
- terrorismo
- inquinamento
- razzismo
- emigrazione
- violenza
- sovrappopolazione
- guerre
- deforestazione
- energia nucleare

SCRITTURA

Su quale degli argomenti elencati nell'attività precedente al punto C pensi di essere più informato? Scrivi una relazione sull'argomento indicato, da usare come base per una presentazione in classe.

ATTIVITÀ SUPPLEMENTARI

A

Sei in vacanza in una località balneare italiana.

Hai notato che vi sono alcuni problemi (ad esempio: la condizione delle strade, la raccolta dei rifiuti, l'illuminazione pubblica, la segnaletica, il verde).
Scrivi una lettera al giornale locale per segnalare il problema più grave.

B

Attività pluridisciplinare (lingue, geografia, scienze, educazione artistica, educazione tecnica)
Nell'ambito di un progetto su "Il mondo intorno a noi", si potrebbero far scrivere delle lettere su alcuni dei problemi sopraccitati, da utilizzare poi per un giornalino di classe multilingue.

SCOLARESCHE AL SUPERMARKET IMPARANO A FARE SHOPPING

PRELETTURA_____

TU
Rispondi alle seguenti domande.

1. Di solito che cosa mangi a colazione/ a pranzo/ a cena?
2. Che cosa mangi e bevi a merenda o quando fai uno spuntino?
   Per rispondere, puoi utilizzare le parole della seguente lista.

[ ] patatine
[ ] dolci
[ ] merendine
[ ] biscotti
[ ] frutta
[ ] salatini
[ ] bibite
[ ] tè
[ ] caffè
[ ] cereali
[ ] acqua
[ ] ....
[ ] ....

3. Quando fai lo shopping, scegli il prodotto   che costa di meno   [ ]
    qualitativamente migliore   [ ]
    più pubblicizzato   [ ]
    ....   [ ]

TU E GLI ALTRI_____

Rivolgi le domande dell'attività precedente ad uno o più compagni e in coppia confrontate e discutete le diverse abitudini alimentari.

71

A - *Leggi l'articolo "Scolaresche al supermarket imparano a fare shopping" e compila la seguente tabella.*

PROTAGONISTI	
TIPO DI INIZIATIVA	
OBIETTIVO	
RISULTATO IMMEDIATO	

B - *Leggi velocemente il testo alla ricerca delle informazioni che ti permettano di completare la seguente tabella.*

TIPO DI SPESA	PRODOTTI ACQUISTATI
spesa del goloso	

Scolaresche al supermarket imparano a fare shopping

VALLECROSIA - Cinquanta bambini a scuola di "shopping". L'iniziativa, promossa dalla scuola media "Maria Ausiliatrice" di Vallecrosia, ha visto protagonisti i ragazzini delle seconde classi che hanno partecipato ad un corso di educazione alimentare tenuto dai docenti. Obiettivo, riflettere sui comportamenti alimentari, scoprire quanto la pubblicità influenzi le nostre scelte e quanto incida sul bilancio familiare. Sul tema, si sono tenute lezioni, conferenze e dibattiti. Poi, portafoglio alla mano, i ragazzi hanno fatto tre prove pratiche. Il primo dei tre percorsi di acquisti, tutti svolti in collaborazione con il supermercato Conad di Ventimiglia, è stato chiamato "La spesa del goloso".

Ognuno poteva acquistare ciò che voleva e nel carrello sono finite merendine di ogni tipo e gusto, bibite, dolci e salatini. Insomma il sogno di tutti i ragazzi e non solo. Poi, secondo percorso, dedicato alla spesa guidata dalla pubblicità. In questo caso è stato suggerito un prodotto specifico: un dolce, una scatola di tè. Risultato: nel carrello sono finiti solo quei prodotti comparsi almeno una volta in TV. Completamente ignorati tutti gli altri. Anche le marche più prestigiose. Infine, "la spesa saggia", ultimo percorso effettuato sotto la guida degli esperti dell'alimentazione che hanno suggerito frutta, verdura e cereali. Poi, in classe, il confronto dei prezzi, delle qualità nutritive e, con parecchie sorprese, anche un confronto di "gusto", non sempre a favore delle sponsorizzatissime merendine.

«L'obiettivo era soprattutto fare riflettere questi ragazzi ed i loro genitori su un tema, l'educazione alimentare, quasi sempre ignorato dai programmi scolastici. Prendere coscienza di un fenomeno, toccare con mano come le nostre scelte siano influenzabili. Non so quanti ragazzi, una volta a casa, abbiano poi rinunciato alle "patatine". Sicuramente, però, ora sanno che vi sono alimenti alternativi, altrettanto buoni e sicuramente più "sani", ha detto ieri mattina una delle insegnanti delle scuole medie, Roberta Roggeri, esperta in scienza dell'alimentazione.

Ma gli obiettivi - precisano dall'istituto Maria Ausiliatrice - sono soprattutto a lungo termine. «Da tempo - continua infatti l'insegnante - abbiamo aggiunto lo studio per una migliore alimentazione nelle classi delle Magistrali. Ora abbiamo provato anche con le Medie ed i risultati sono buoni. Il nostro vuole essere anche un investimento per il futuro, per fare di questi ragazzi dei consumatori consapevoli».

E per passare subito dalla teoria alla pratica, a scuola è anche avvenuta una piccola "rivoluzione". Con l'aiuto del responsabile della ditta che si occupa della distribuzione delle merendine, i tradizionali dolcetti forniti dalla macchina all'interno della scuola sono stati sostituiti con latte, yogurth, crackers, succhi di frutta e cereali.

Patrizia Mazzarello

Il Secolo XIX

LESSICO

Indica con una x l'equivalente delle parole in neretto.

1. Corso di educazione alimentare tenuto dai **docenti**.
   insegnanti [a]   studenti [b]   dietologi [c]   commessi [d]

2. I percorsi di acquisti si sono **svolti** in collaborazione con un supermercato.
   comprati [a]   fatti [b]   progettati [c]   scritti [d]

3. Ognuno poteva **acquistare** ciò che voleva.
   assaggiare [a]   mangiare [b]   comprare [c]   spendere [d]

4. L'obiettivo era quello di fare **riflettere** i ragazzi sul tema dell'educazione alimentare.
   scrivere [a]   discutere [b]   pensare [c]   capire [d]

5. Nel carrello sono finite **merendine** di ogni tipo.
   dolcetti preconfezionati che si mangiano di solito tra un pasto e l'altro. [a]
   patatine che si mangiano di solito tra un pasto e l'altro. [b]
   bibite che si bevono di solito nel pomeriggio, fra il pranzo e la cena. [c]
   cibi e bevande che si consumano nel pomeriggio. [d]

Note:

1) prendere coscienza   = avere consapevolezza; arrivare a conoscere.
2) toccare con mano   = rendersi conto concretamente; vedere in modo concreto.
3) tre percorsi di acquisti = tre diversi modi di comprare.

STRUTTURE

A - *Correggi le bozze del seguente testo che contiene 5 errori di stampa.*

Un'esperienza interessante

La nostra scuola ha promossa un'iniziativa molto interessante che aveva come obiettivo quello di farci riflettere sui comportamenti alimentari.

Dopo aver seguito alcune lezioni, abbiamo fatte tre prove pratiche in un supermercato della nostra città. All'inizio, ognuni poteva acquistare ciò che voleva. In un secondo tempo, potevamo comprare solo un prodotto specifico. La terza volta, gli esperti dell'alimentazione hanno suggerito alcuni alimenti.

Infine, in classe abbiamo confrontato i prezzi, le qualità nutritiva e il gusto dei diversi prodotti.

La prima cosa che abbiamo notato è che non sempre i prodotti più pubblicizzati sono i migliori.

Abbiamo riflettuto sulle nostre conclusioni e abbiamo chiesto che a scuola le tradizionali merendine distribuiti dalla macchina siano sostituite con alimenti più sani, più economici e più gustosi.

B - *Trasforma la forma attiva in passiva, come nell'esempio.*

Esempio: I ragazzi hanno scelto le bibite.
        Le bibite **sono state scelte** dai ragazzi.

1. La scuola media ha promosso l'iniziativa.
2. I docenti hanno tenuto un corso di educazione alimentare.
3. I ragazzi hanno ignorato gli altri prodotti.
4. La pubblicità influenza i ragazzi.
5. I bambini hanno acquistato le merendine.
6. Gli allievi hanno raggiunto gli obiettivi.
7. Spesso i programmi scolastici ignorano l'educazione alimentare.
8. Gli alunni hanno confrontato i prezzi.
9. Gli insegnanti hanno fatto una scelta intelligente.
10. Gli allievi hanno seguito tre diversi percorsi .

ROLE - PLAY
In coppia
Avete 15 minuti di tempo per preparare il seguente role play.

Studente A
Hai partecipato all'iniziativa promossa dalla scuola media (vedi articolo) e hai riflettuto sul tuo comportamento alimentare, scoprendo inoltre quanto la pubblicità abbia spesso influenzato le tue scelte e come sia possibile alimentarsi bene, con prodotti gustosi e spesso meno costosi dei prodotti pubblicizzati.

Cerca di far riflettere lo studente B sulle sue abitudini alimentari.

Espressioni utili

- Guarda, che fa male ...
- Non dovresti ...
- Dovresti fare attenzione a ...
- Non ti rendi conto che ...
- Ci sono troppi coloranti/conservanti/zuccheri ...
- Fa male alla salute ...

Studente B
Sei goloso e ti lasci spesso influenzare dalla pubblicità nella scelta dei cibi e delle bevande. Lo studente A deve cercare di convincerti a cambiare abitudini alimentari.

Espressioni utili

- Hai ragione, ma ...
- Cercherò di seguire i tuoi consigli ...
- Non mi interessa ...
- Non credo che faccia male ...
- Ma a me non piace/piacciono ...
- Ho provato, ma ...

PER PREPARARE GLI ESAMI

PRELETTURA

TU

Secondo te, che cosa si dovrebbe o non si dovrebbe fare, per quanto riguarda l'alimentazione prima degli esami?

Compila la tabella con le seguenti indicazioni.

- Saltare la prima colazione
- Frazionare i pasti lungo la giornata
- Mangiare sempre le stesse cose
- Mangiare molti dolci
- Condire con pochi grassi
- Bere molta acqua

PER PREPARARE GLI ESAMI	
SI DOVREBBE	NON SI DOVREBBE

1
2
3
4
5

TU E GLI ALTRI
In coppia

Confrontate le vostre tabelle, discutete eventuali differenze e aggiungete altri suggerimenti anche di altro genere (ad esempio: camminare molto, non prendere tranquillanti, ...)

LETTURA

Leggi il testo a p. 78 e confronta le indicazioni date con quelle contenute nella tua tabella.

PER PREPARARE GLI ESAMI

CHE COSA SI DEVE FARE

- Bere acqua e spremute di agrumi quando compare la sete.
- Frazionare i pasti lungo la giornata.
- Camminare almeno 40 minuti al giorno o fare ginnastica in camera piuttosto che guardare la televisione.
- Scegliere carni magre [pollo, pesce, vitello, prosciutto crudo sgrassato, bresaola].
- Preferire cibi cotti alla griglia, lessati, arrosti senza sugo.
- Gustare yogurt, gelati alla crema, frullati di latte e frutta se persiste inappetenza.
- Condire i cibi con pochi grassi crudi [olio di oliva e burro].
- Non trascurare frutta fresca e verdure crude, per attivare l'intestino reso pigro dalla vita sedentaria.
- Consumare i pasti con tranquillità, senza parlare di esami e interrogazioni.
- Concedersi due o tre caffè al giorno, zuccherati.

CHE COSA NON SI DEVE FARE

- Dissetarsi con bevande alcooliche e superalcooliche.
- Prendere farmaci tranquillanti e stimolanti.
- Saltare la prima colazione del mattino o bere solo una tazza di tè o caffè.
- Fare dei pasti esageratamente abbondanti.
- Mangiare in fretta, masticando poco, e non concedersi una pausa dopo i pasti.
- Scegliere spuntini esageratamente calorici [tramezzini con maionese, sottilette, mortadella, tranci di torte alla panna].
- Sgranocchiare continuamente dolci, patatine fritte, salatini, per diminuire la tensione nervosa.
- Dare la preferenza ai cibi di difficile digestione [salsicce, salami, formaggi piccanti, sughi ricchi di grasso].
- Mangiare sempre le stesse cose.
- Tracannare bevande gelate.

STRUTTURE

A - *Completa le seguenti frasi con il presente congiuntivo del verbo tra parentesi.*

1. Ho paura che mi _____ il panico.   [prendere]
2. Temo che il colloquio non _____ bene.   [andare]
3. Penso che tu _____ preoccuparti di meno.   [dovere]
4. E' meglio che (voi) _____ a letto presto.   [andare]
5. Spero che gli esaminatori non _____ domande troppo difficili.   [fare]
6. E" necessario che (lui) _____ di più.   [studiare]
7. Non credo che (tu) _____ ragione.   [avere]
8. Spero che (tu) _____ a rispondere a tutte le domande.   [riuscire]
9. Mi auguro che _____ tutto bene.   [finire]
10. E' meglio che tu non _____ troppo caffè.   [bere]

B - *Con riferimento alla tua tabella ed al testo letto, scrivi dieci frasi, come negli esempi.*

Esempi: Se io fossi in te, camminerei almeno 40 minuti al giorno.
            Se io fossi in te, non berrei bevande alcoliche.

LESSICO

A - *Indica con una x gli abbinamenti possibili, come negli esempi.*

	acqua	frutta	caffè	patate	pizza	latte	formaggi	insalata	uova	spaghetti	
BERE											
CONDIRE								X		X	
MANGIARE											
SALARE											
ZUCCHERARE											
FRIGGERE											
BOLLIRE											
INFORNARE					X						

B - *Sottolinea gli intrusi, come nell'esempio.*

FRUTTA	VERDURA - ORTAGGI	ERBE AROMATICHE
pompelmo	cipolla	rosmarino
albicocca	rapa	prezzemolo
mandarancio	porro	pandoro
mirtillo	cetriolo	menta
ananas	melanzana	alloro
anguria	tonno	origano
polpo	lattuga	anguilla
grappa	fagiolino	basilico
lampone	budino	salvia

POSTLETTURA

TU E GLI ALTRI
In coppia

Inventate un dialogo basato sulla seguente situazione. Lo studente A sta preparando l'esame di maturità ed è nervoso e insicuro; chiede consigli e suggerimenti allo studente B che ha superato brillantemente lo stesso tipo di esame l'anno precedente.

Parole ed espressioni utili

- Secondo te ...
- Non so che cosa fare ...
- Che cosa si deve fare ...?
- Che cosa faresti ....?
- Che cosa mi consigli di fare ...?
- Pensi che ...?
- Ho paura che ...
- Temo che ...
- Sei sicuro che ...?

- Secondo me ...
- E' meglio che ...
- Sarebbe bene ...
- Dovresti ...
- Cerca di ...
- Non devi assolutamente ...
- Faresti bene a ...
- Non dimenticare di ...
- Evita di ...

ATTIVITA' SUPPLEMENTARI

Trasforma le frasi, come negli esempi.

Esempi: Dovresti leggere di più!   Leggi di più!
       Non dovresti mangiare troppo!   Non mangiare troppo!
       Non dovreste preoccuparvi!   Non preoccupatevi!

1. Dovresti ripassare ancora una volta!
2. Dovresti andare a letto più presto!
3. Dovresti condire meno i cibi!
4. Non dovresti bere bevande gelate!
5. Dovresti fare qualche spuntino!
6. Non dovreste saltare la prima colazione!
7. Dovresti riflettere di più prima di parlare!
8. Non dovresti sgranocchiare in continuazione caramelle!
9. Dovresti bere qualche spremuta!
10. Dovresti finire i compiti!

ESAMI MOLTA VERDURA ...

PRELETTURA

TU
Rispondi alle seguenti domande.

Secondo te, prima degli esami o di un colloquio:
- come si potrebbe controllare l'ansia?
- potrebbe essere utile o meno fare uso di tranquillanti? Perché?
- quante ore bisognerebbe dormire ogni giorno?
- che dieta bisognerebbe seguire?
- come ci si dovrebbe comportare il giorno prima?

LETTURA

A - *Le seguenti domande sono state tratte dal testo e trascritte in disordine. Leggi il testo a p. 84 e in-seriscile negli spazi accanto alle lettere.*

1. Che ritmi di studio vanno seguiti?
2. Come bisogna comportarsi il giorno prima dell'esame?
3. Come si può controllare l'ansia?
4. I tranquillanti aiutano?
5. Qual è il fabbisogno di sonno durante il periodo di grande studio?
6. Qual è la dieta ideale dello studente?
7. Si può aumentare la concentrazione con stimolanti?
8. Si può migliorare la memorizzazione?
9. Sono utili i farmaci per la memoria?

B - *Confronta le tue scelte con quelle di un compagno e discuti le eventuali differenze.*

C - Leggi il seguente testo e rispondi alle domande.
1. Con quali consigli sei d'accordo o in disaccordo? Perché?
2. Che cosa fai/facevi quando devi/dovevi sostenere un esame?

"...L'importante è recuperare il massimo della fiducia in se stessi. Si possono tentare varie vie:
- ripassare solamente le cose che piacciono;
- non studiare e uscire;
- occuparsi esclusivamente del benessere fisico, facendo un po' di sport oppure dedicandosi alla cura del proprio aspetto;
- andare a letto presto, dopo una cena leggera."

COME PREPARARSI

Esami: molta verdura, sonno e niente farmaci

*Importante è controllare l'ansia.
E al massimo stimolarsi
con qualche tazza di caffè o tè*

Come ogni anno scatta il conto alla rovescia per gli esami scolastici. Nella manciata di giorni che separano i ragazzi dal banco di prova, quel che conta è neutralizzare la fatica, dosare le energie, controllare lo stress.
Con l'aiuto di alcuni specialisti vediamo tutto ciò che va tenuto presente per lo sprint finale.

A

«Se rimane al di sotto di una certa soglia» dice il dottor Giuseppe Brera, direttore dell'Istituto di medicina e psicologia dell'adolescenza di Milano «l'ansia è una risposta positiva dell'organismo a una situazione impegnativa come l'esame. Infatti, attraverso ormoni specifici, le catecolamine, vengono attivati i processi cognitivi e la memoria. L'importante è tenerla sotto controllo, in modo che non superi i livelli fisiologici perché, in questo caso, inciderebbe negativamente sulla memoria stessa». Quindi, è bene prevedere un ritmo di studio che comprenda un minimo di tempo libero per scaricarsi e fare esercizi di rilassamento (vedi box).

B

«No, nella maniera più assoluta» dichiara il professor Silvio Garattini, direttore dell'Istituto Mario Negri di Milano. «Infatti, gli effetti collaterali di ansiolitici e betabloccanti, i medicinali che inibiscono l'ansia, sono imprevedibili: possono provocare una forte sonnolenza o, al contrario, un'accentuazione dell'ansia stessa e, quindi, compromettere l'apprendimento».

C

«Sì, attraverso un'archiviazione intelligente delle informazioni» precisa il dottor Brera. «Il metodo più sicuro è quello chiamato apprendimento strutturato, che permette, al momento dell'esame, di richiamare in modo logico e ordinato le nozioni apprese».
Il sistema si attua così:
● si trasformano le nozioni del libro in schemi scritti;
● si memorizzano facendo appello soprattutto alla memoria visiva;
● partendo dagli schemi, si ricostruisce ad alta voce l'argomento.

D

«Sono sconsigliabili» afferma il professor Garattini «perché i loro reali effetti non sono dimostrati».

E

Ancora una volta vanno esclusi i farmaci. Si può ricorrere a sostanze naturali, come tè e caffè, da prendere però a piccole dosi, soprattutto se non si è abituati, perché si può andare incontro a una fastidiosa irrequietezza.

F

«Quelli personali di sempre» dichiara il dottor Brera. «Bisogna che il ragazzo organizzi il suo tempo come meglio crede. In proposito, è necessario che i genitori non interferiscano o, al contrario, un'accentuazione per non creare in famiglia un clima di ansia».

G

Dipende dalle abitudini personali ma, per evitare di affaticarsi fisicamente, bisogna prevedere 7-8 ore di riposo evitando bruschi cambiamenti nel ritmo abituale veglia-sonno.

H

«Sono indicati pasti frazionati, ricchi di carboidrati di facile assorbimento e poveri di grassi, molta verdura e insalata» sintetizza la dottoressa Maria Luisa Librenti, dietologa presso l'ospedale San Raffaele di Milano. «Una volta al giorno, poi, è consigliabile una piccola porzione di carne per mantenere il tono muscolare. La colazione deve essere nutriente: latte, cereali, marmellata. Fra un ripasso e l'altro vanno bene spuntini con yogurt o frutta». Infine, per combattere la stanchezza, si possono assumere preparati idrosalinici, le bevande tipiche degli sportivi.

I

L'importante è recuperare il massimo della fiducia in se stessi. Si possono tentare varie vie:
● ripassare solamente le cose che piacciono;
● non studiare e uscire;
● occuparsi esclusivamente del benessere fisico facendo un po' di sport oppure dedicandosi alla cura del proprio aspetto;
● andare a letto presto, dopo una cena leggera.

Monica Simighini

Come rilassarsi

La tecnica più semplice si sviluppa in tre tempi:
1. Assumete una posizione comoda e concentratevi sul vostro respiro.
2. Estraniatevi da tutto quanto vi circonda.
3. A ogni respiro ripetete mentalmente le parole *omo* o *uno*.
Dopo cinque minuti si ha una risposta psicofisiologica in grado di inibire i recettori della noradrenalina, la sostanza che scatena la paura.
Gli effetti del rilassamento durano parecchie ore.

Parole ed espressioni utili

- Innanzitutto ...
- Di solito faccio / facevo ...
- Dipende ...
- Qualche volta ...
- Ogni tanto ...
- Ma ...
- Non sempre ...
- Poi ...
- Siccome ...
- Comunque ...
- Soprattutto ...
- Anche se ...

LESSICO

A - *Scrivi i contrari delle parole in neretto, aiutandoti, se necessario, con il dizionario.*

1. Una risposta **positiva**. . . . .
2. I **tranquillanti** non aiutano. . . . .
3. Gli effetti dei tranquillanti sono **imprevedibili**. . . . .
4. E' un metodo **logico**. . . . .
5. E' **consigliabile** una dieta leggera. . . . .
6. E' **utile** fare un po' di moto. . . . .
7. Non è **facile** controllare l'ansia. . . . .
8. Bisogna occuparsi del **benessere** fisico. . . . .
9. Bisogna essere **ordinati**. . . . .
10. Si può **migliorare** la memorizzazione. . . . .

Nota: In italiano, molti contrari si formano con i prefissi in-, s-, a-, dis-.
Esempi: *sufficiente/insufficiente, organizzato/disorganizzato, tipico/atipico, caricare/scaricare, piacevole/spiacevole, utile, inutile.*

B - *Completa le frasi, scegliendo tra le seguenti parole quelle più adatte.*

```
stress ansia nervoso disagio

spavento paura incubo
```

1. Prima di un esame sono molto _____.
2. Prima di un esame non riesco a controllare l'_____.
3. Mi trovo a _____ in quell'ambiente.
4. Ho sempre _____ degli esami.
5. Quell'esame era il suo _____.
6. Prima degli esami bisogna controllare lo _____.

C - *Completa le frasi, scegliendo tra le seguenti espressioni idiomatiche quelle più adatte.*

manciata di giorni
in bocca al lupo
acqua in bocca
va tenuto presente
scaricarsi
conto alla rovescia

1. Ogni anno scatta il _____.
2. Nella _____ che precede gli esami bisogna controllare lo stress.
3. Vediamo ciò che _____.
4. Prima degli esami è necessario _____ .
5. Un tipico augurio prima degli esami è _____.

D - *In coppia. Spiega al tuo compagno il significato delle frasi dell'esercizio precedente.*

STRUTTURE_____

Sostituisci i pronomi relativi in neretto con i seguenti:

il quale
la quale
i quali
le quali

1. Non capisco le ragioni **per cui** sei così preoccupato.
2. Spero che mi chiedano gli argomenti **su cui** sono più preparata.
3. L'insegnante, **di cui** ti parlavo prima, si è trasferito.
4. L'insegnante, **di cui** ti parlavo prima, si è trasferita.
5. La materia, **in cui** sono più preparato, è l'italiano.
6. Ho incontrato degli amici italiani **tra cui** c'era anche Marco.
7. La scuola, **da cui** provieni, è prestigiosa.
8. I compagni, **con cui** studio abitualmente, sono stati tutti promossi.
9. I farmaci, **di cui** faccio uso, sono questi.
10. L'argomento, **a cui** mi riferisco, è un altro.

SCRITTURA

- *Hai appena ricevuto una lettera da un amico;*
  è preoccupato e nervoso perché sta preparando un esame difficile che tu hai superato l'anno precedente.
- *Ti chiede di parlargli della tua esperienza e di dargli qualche consiglio pratico.*
- *Rispondi alla sua lettera.*

ATTIVITA' SUPPLEMENTARI

- *Le seguenti parole o espressioni sono tratte dal testo "Esami : molta verdura, ..."*
- *Dopo averlo riletto per vedere come vengono usate, riutilizzane il maggior numero possibile in un discorso logico, trattando un argomento a tuo piacere (inquinamento, traffico, natura, salute, alimentazione, ...).*
- *Potresti preparare il lavoro a casa e presentarlo oralmente il giorno dopo in classe.*

Parole ed espressioni utili

- Con l'aiuto di ...
- Infatti ...
- L'importante è ...
- In modo che ...
- Perché ...
- In questo caso ...
- Quindi ...
- È bene ...
- Al contrario ...
- Però ...
- Bisogna che ...
- E' necessario che ..
- Dipende da ...
- Infine ...

BIBLIOTECHE CONTRO LA NOIA D'ESTATE

PRELETTURA

TU
Rispondi alle seguenti domande.

1. Che cosa ti piace leggere?
(libri di avventura, libri di fantascienza, gialli, giornali sportivi, fumetti, riviste di moda, riviste di musica, ...).
2. Quanti libri leggi in un anno?
3. Secondo te, quali sono i generi di libri più letti durante l'estate?
4. Vai spesso in biblioteca? Perché?
5. Secondo te, le biblioteche sono frequentate più dalle donne o dagli uomini?
6. Secondo te, le biblioteche sono in concorrenza con le librerie? Perché?

LETTURA

A - *Leggi velocemente il testo e rispondi alle seguenti domande.*

1. Per quanto tempo si possono tenere i libri presi in prestito?
2. Chi frequenta di più le biblioteche, uomini o donne?
3 Per quali motivi si va in biblioteca oltre che per prendere in prestito libri o per leggere?

B - In coppia

• *Confrontate le vostre risposte e, con riferimento al testo, discutete le eventuali differenze.*
• *Trovate, poi, insieme, le risposte alle seguenti domande.*

1. Chi frequenta le biblioteche rimaste aperte in agosto?
2. Quali sono i libri più richiesti nelle biblioteche decentrate?
3. Perché, secondo la dirigente del settore biblioteche civiche, le biblioteche non solo non sono in concorrenza con edicole e librerie, ma possono addirittura aiutarle a vendere di più?
4. Perché le donne, a differenza degli uomini, non si fermano in biblioteca a leggere giornali e riviste?
5. Perché i libri più letti dai detenuti sono i romanzi e gli instant book?

Libri gialli, romanzi e giornali per gli anziani, mentre decine di studenti preparano gli esami

Biblioteche contro la noia d'estate

Aperte in agosto le 13 sedi periferiche e la Civica

Mezzo milione di libri aspettano i torinesi rimasti in città; la maggioranza delle 13 biblioteche decentrate nei quartieri rimarranno aperte ad agosto o chiuderanno per periodi brevi. E anche la «Civica», con i suoi 400 mila volumi, non chiuderà con soddisfazione degli studenti universitari e degli affezionati «clienti» che ogni giorno cercano, nel silenzio delle sale di lettura, di scoprire qualcosa di nuovo.

Spiega la dirigente del settore biblioteche civiche, Giselda Russo: «Sono in tanti ormai a non andare in vacanza. Quando abbiamo tenuto aperto abbiamo scoperto che vengono ad agosto gli anziani che cercano libri gialli e romanzi per passare il tempo. E poi ci sono gli affezionati dei giornali che ne divorano un numero incredibile ogni giorno e ci sono gli studenti che rimangono a preparare esami e tesi».

E poi c'è la speranza che la noia estiva spinga a entrare in biblioteca anche chi non l'avrebbe fatto negli altri mesi. E si sa che la scoperta, anche se occasionale del libro può segnare per tutto il resto della vita trasformando in librodipendente chi viene sfiorato dalla magia della carta stampata. Dice Giselda Russo: «Sono convinta che le biblioteche non siano in concorrenza con librerie e edicole. Anzi frequentare le biblioteche abitua le persone alla lettura».

In ciascuna delle 13 biblioteche decentrate ogni anno vengono prestati 50 mila volumi. Si tratta per lo più di romanzi o instant book. Un 30% sceglie la saggistica con volumi di informatica e bricolage, fotografia e giardinaggio ma un non irrisorio 8% preferisce la storia e in particolare le biografie. Un venti per cento è coperto dalla fascia della infanzia e adolescenza.

Uomini e donne affollano in egual misura le biblioteche decentrate alla ricerca dell'ultima novità da portarsi a casa per tre settimane. Ma sono praticamente solo gli uomini a utilizzare l'emeroteca. Spiega il dottor Vittorio Manganelli, dirigente del servizio biblioteche: «Le donne non hanno tempo. Vengono in biblioteca, prendono il libro da leggere a casa, sbirciano i giornali, ma devono correre via. Avevamo provato a aumentare il numero di pubblicazioni cosiddette femminili, ma non è cambiato nulla. Invece gli uomini, soprattutto anziani, passano ore a leggere quotidiani e riviste».

Ma in biblioteca si va anche in cerca di pace per studiare nel silenzio. Nelle decentrate, come alla Civica, sono decine gli studenti che preparano esami nelle sale di lettura. Alla Civica addirittura il 60-70% dei frequentatori non è lì per cercare un libro, ma per leggere il proprio. Un problema, soprattutto per la sede centrale, risolto con la decisione di riservare posti a chi vuole consultare testi o giornali. Con molta soddisfazione i dirigenti del settore ricordano che esiste una biblioteca invisibile ma utilissima: quella delle Vallette destinata ai detenuti. Settemila volumi e continui nuovi acquisti identici a quelli delle altre decentrate costituiscono un piccolo patrimonio a disposizione dei reclusi che tre volte la settimana possono accedere agli spaziosi locali.

Lo scorso anno sono stati prestati oltre 5 mila volumi e le scelte sono state le stesse di fuori: romanzi per evadere dalla grigia quotidianità e instant book per sentirsi dentro il mondo.

Marina Cassi

La maggior parte delle 13 biblioteche nei quartieri rimarranno aperte ad agosto.
La responsabile Giselda Russo: «Frequentare le biblioteche abitua le persone alla lettura».

La Stampa

C
In coppia

Senza rileggere il testo, provate a riordinare la seguente sintesi.
Poi, con il testo di fronte, controllate se il vostro lavoro è corretto.

[ ]   Anche chi è in prigione ha la possibilità di frequentare una biblioteca.
[ ]   E' stato scoperto che durante l'estate la biblioteca è frequentata da molte persone: anziani, affezionati, studenti.
[ ]   La maggioranza delle biblioteche torinesi rimarrà aperta in estate.
[ ]   Le biblioteche sono frequentate, nella stessa percentuale, sia dagli uomini sia dalle donne.
[ ]   Moltissimi studenti vanno in biblioteca a studiare.
[ ]   Nelle biblioteche decentrate vengono prestati moltissimi libri.
[ ]   Si spera che in estate la biblioteca sia frequentata anche dalle persone che non l'hanno mai fatto prima.

Note:
emeroteca (luogo dove si raccolgono e conservano giornali e riviste)
instant book (libro scritto e pubblicato in tempi brevissimi che tratta un argomento di attualità)
civica (comunale, della città). Nel testo la parola Civica sta per biblioteca Civica

LESSICO

A - *Scrivi la definizione delle seguenti parole.*

Tieni presente che nelle parole composte il secondo elemento:
-**teca** indica il *luogo dove si raccolgono e conservano determinate cose* (è attualmente usato anche con il significato di luogo dove si vende un determinato prodotto).
-**ficio** indica, in generale, il *luogo dove si produce.*

 1. biblioteca   _____
 2. cineteca   _____
 3. oleificio   _____
 4. panificio   _____
 5. paninoteca   _____
 6. pastificio   _____
 7. pinacoteca   _____
 8. setificio   _____
 9. zuccherificio _____
10. enoteca   _____

B - *Scrivi la definizione delle seguenti parole.*

Tieni presente che nelle parole composte il secondo elemento:
-**fero**, significa *che porta, che produce*
-**crazia** significa *potere, governo*
-**logia** significa *studio*

1. zoologia _____
2. burocrazia _____
3. calorifero _____
4. democrazia _____
5. fiammifero _____
6. frigorifero _____
7. partitocrazia _____
8. psicologia _____
9. sociologia _____
10. sonnifero _____

STRUTTURE

*Completa le seguenti frasi con le preposizioni semplici o articolate (**di, a, in, degli, alla, ...**).*

1. Ci sono molti libri _____ disposizione _____ studenti.
2. E' il nuovo direttore _____ biblioteca.
3. E' possibile tenere _____ casa un libro _____ tre settimane.
4. Frequentare la biblioteca abitua _____ lettura.
5. Le biblioteche non sono _____ concorrenza _____ le librerie.
6. Leggo _____ passare il tempo.
7. Molti torinesi rimangono _____ città.
8. Questa è la sala _____ lettura.
9. Sono sempre _____ ricerca _____ ultima novità.
10. Sono _____ tanti _____ non andare _____ vacanza.

POSTLETTURA

In coppia
"Biblioteche contro la noia d'estate" è un titolo provocatorio, visto che l'estate è sinonimo di vacanza e che durante le vacanze è difficile annoiarsi.

Discutete i possibili motivi per cui è stato scelto questo titolo. Confrontate le vostre conclusioni con quelle degli altri gruppi.

SCRITTURA

Scrivi una lettera ad un amico o ad un'amica e consigliagli/le la lettura di un romanzo che ti è particolarmente piaciuto. Nel presentarlo, puoi seguire la seguente traccia:
titolo, autore, genere, trama, personaggi principali, ambiente, epoca e motivi per cui ti è piaciuto.

S'IO FOSSI BABBO NATALE

PRELETTURA_____

TU
Rispondi alle seguenti domande.

Se tu fossi Babbo Natale:
1. che cosa regaleresti alla tua famiglia?
2. che cosa regaleresti al tuo paese?
3. che cosa regaleresti alla tua città?
4. che cosa regaleresti a te stesso?

LETTURA_____

A - *Leggi l'articolo "S'io fossi Babbo Natale" e completa la seguente tabella sui desideri degli abitanti di una regione italiana.*

PER LA MIA CITTÀ	1) .... 2) .... 3) .... 4) .... 5) lavoro 6) sviluppo
PER L'ITALIA	1) .... 2) .... 3) .... 4) .... 5) soluzione dei problemi ambientali
PER ME	1).......................... 2)......................3)...........................4)

B - *Confronta la tua tabella con quella di un compagno e discuti le eventuali differenze.*

S'io fossi Babbo Natale

Sciù Parodi vuole meno soldi ma più serenità

La domanda era precisa anche se poteva apparire un pò' singolare. «Se lei fosse Babbo Natale, che cosa regalerebbe quest'anno alla sua famiglia? E all'Italia? E alla sua città? E a se stesso?». Rivolta a 653 cittadini liguri dall'Istituto di indagini demoscopiche Words, la domanda ha avuto risposte molto spesso sorprendenti. Non siamo in piena società dell'"avere"? Ci saremmo dovuti aspettare il trionfo del consumismo. Ville e gioielli, auto e appartamenti, vincite al Totocalcio. Milioni, miliardi. E invece no. I liguri per Natale vogliono serenità, felicità, tranquillità, salute. Niente ori, niente danaro, niente beni materiali. Se proprio devi portare roba del genere, Babbo Natale, portala ai miei cari, a mio padre, a mia madre. O magari ai miei figli, a mia moglie. A me basta una esistenza senza stress, una giornata senza angoscia. Liberami dall'ansia, dalle medicine e dai dottori.

E all'Italia che cosa deve portare Babbo Natale per conto dei liguri? Beh, qui siamo più sull'ovvio. Basterebbero dei buoni politici, possibilmente onesti. E dei servizi funzionanti, se non si chiede troppo. In subordine la pace, l'ordine pubblico, la soluzione dei problemi ambientali.

La situazione si rovescia quando i liguri pensano alle loro città. Vogliamo verde, ecologia, una città a misura d'uomo, senza traffico, senza sacchi d'immondizia, senza siringhe per le strade, rispondono i liguri, lasciando addirittura in fondo alla classifica dei regali i problemi relativi al lavoro e allo sviluppo della città e non valutando più di tanto il discorso della politica e dei partiti.

Potrebbe sembrare un gioco. Forse proprio per questo sono importanti le risposte. Sono sincere e imprevedibili. Senza mediazioni. Quando uno fa i regali, inconsciamente esprime dei bisogni. I suoi bisogni. Babbo Natale ci consente così di tracciare una inedita mappa dei desideri e dei bisogni delle quattro provincie liguri. Una mappa veritiera e per alcuni versi inquietante. Caro Babbo Natale, porta alla Liguria pochi soldi e tanta serenità. Che cosa si nasconde dietro una richiesta del genere? Che i liguri hanno risolto i problemi economici, che non hanno il problema della casa, che cambiano tanto spesso l'automobile da non desiderarne una nuova? Che il benessere diffuso ha attutito gli appetiti? Ma quando qualcuno chiede a Babbo Natale serenità, vuol dire che si sente male dentro, che è infelice. Che ha paure ed angosce che non riesce nemmeno ad esprimere. Che si sente attaccato, bombardato quotidianamente da un male oscuro. Vediamo alcune delle risposte singole. «Vorrei allegria», ha risposto un genovese. Oppure «arrivare alla morte senza soffrire». Oppure «la mia famiglia ricostruita». C'è anche l'ingordo che vuole «un'altra villa». E ci sono gli incontentabili abitanti di Chiavari che vogliono «soldi, soldi, soldi». Ma colpisce la risposta del savonese: «Voglio continuare a vivere con la mia famiglia». E quella dell'imperiese che vuole «un miracolo, poter tornare ad usare le gambe». E quella dello spezzino che desidera «il rispetto»....

Il Secolo XIX

LESSICO

Scrivi i contrari delle parole in neretto, aiutandoti, se necessario, con il dizionario.

1. La domanda era **precisa.**
2. Ci saremmo dovuti aspettare il **trionfo** del consumismo.
3. Ci sono molte persone **infelici.**
4. Basterebbero dei politici **onesti.**
5. Le risposte sono **sincere.**
6. Le domande sono **prevedibili.**
7. Ci sono molte persone **allegre.**
8. C'è molta **ricchezza.**
9. Ha **vinto** molti soldi al gioco.

STRUTTURE

A - *Completa le seguenti frasi, come nell'esempio.*

Esempio: Se fossi Babbo Natale, ...
           Se fossi Babbo Natale, regalerei a tutti pace, salute e felicità.

 1. Se avessi più tempo, ...
 2. Se fossi ricco, ...
 3. Se fossi il proprietario di un castello, ...
 4. Se potessi invitare un personaggio famoso a cena, ...
 5. Se nascessi un'altra volta, ...
 6. Se avessi uno zio in America, ...
 7. Se fossi l'insegnante di italiano, ...
 8. Se dovessi cambiare città, ...
 9. Se potessi cambiare lavoro, ...
10. Se fossi il sindaco della mia città, ...

B - *Collega le affermazioni della colonna A con quelle della colonna B.*

A	B
1. [ ] Se ci fosse più verde	a. sarei venuto con te alla manifestazione.
2. [ ] Se ci fosse meno traffico	b. avrei dato la stessa risposta.
3. [ ] Se potessimo scegliere	c. andremmo in vacanza al mare.
4. [ ] Se me lo avessi detto	d. questa città sarebbe più vivibile.
5. [ ] Se mi avessero intervistato	e. si circolerebbe meglio.

POSTLETTURA_____

A - *Intervista alcuni compagni e compila la seguente tabella.*

LA MAPPA DEI DESIDERI

	1	2	3	4	5	6	7	8	9	10	TOT.
PER LA MIA CITTÀ											
più verde											
meno inquinamento											
meno traffico											
servizi migliori											
più divertimenti											
altro											
PER IL MIO PAESE											
più benessere											
meno disoccupazione											
un governo migliore											
meno criminalità											
altro											
PER LA MIA FAMIGLIA											
salute											
felicità											
ricchezza											
sicurezza economica											
altro											
PER ME											
serenità											
salute											
lavoro											
felicità											
amore											
soldi											
altro											

B - *Scrivi una breve relazione sui risultati dell'intervista.*

LO SPOT DELLE VENTITRÉ NON PERDONA

PRELETTURA

TU

A - *Rispondi alle seguenti domande.*

1. Secondo una teoria americana, la pubblicità in TV è più efficace in determinati giorni della settimana e in determinate ore del giorno.
   In che giorno e a che ora pensi che sia più efficace?
2. Secondo te, è più efficace la pubblicità alla TV, sui giornali, o per la strada?
3. Secondo te, sono più influenzabili gli uomini o le donne? Perché?
4. Secondo te, è necessaria qualche forma di censura per quanto riguarda gli spot pubblicitari? Perché?
5. Quali sono gli spot più efficaci che ricordi? Perché?
6. Secondo te, è meglio per quanto riguarda la televisione pubblica pagare un canone e non avere continue interruzioni pubblicitarie, oppure avere più pubblicità e non pagare il canone? Perché?

B - *Compila le tabelle sui vantaggi e sugli svantaggi della pubblicità, utilizzando le seguenti parole chiave:*
   informa, confonde, fa aumentare i prezzi dei prodotti, fa spettacolo, interrompe i programmi, fa il lavaggio del cervello, è divertente, contribuisce a mantenere basso il prezzo dei giornali.

LA PUBBLICITÀ

	VANTAGGI	SVANTAGGI
1		
2		
3		
4		

Studio americano: l'efficacia della pubblicità in tv cambia a seconda dei giorni e delle ore

Lo spot delle ventitré non perdona

Pubblico senza difese la domenica - La trappola dei film in bianco e nero

MILANO. Se dopo cena avete l'abitudine di sprofondarvi davanti al televisore, tenete gli occhi aperti e le antenne diritte: la pubblicità, dopo avervi martellato ai fianchi per tutta la serata, vi aspetterà al varco intorno alle undici. Lei «sa» che a quell'ora avete la guardia abbassata e vi proporrà acquisti miracolosi blandendovi con le sirene del numero verde: «Telefona subito, tanto la chiamata non costa nulla...».

L'agguato dello spot ha una base scientifica. Si chiama «teoria della minore resistenza» - e secondo gli americani che l'hanno inventata - è una cosa seria, studiata a tavolino e dimostrata dai fatti. Ci sono ore del giorno e giorni della settimana in cui la naturale diffidenza del pubblico nei confronti della réclame si attenua. Sono i momenti ideali per il «direct marketing», la pubblicità che non si limita a presentare un prodotto, ma lo offre direttamente allo spettatore, invitandolo a un'immediata prenotazione telefonica. Negli Stati Uniti, dove alla tv si piazzano persino le bistecche, è cosa nota da anni. In Italia è arrivata da poco, ma con risultati di vendita sorprendenti.

Lo studio americano porta la firma di Alyin Eicoff, considerato il massimo esperto al mondo di televisione interattiva. Da noi è stato ripreso da Ranieri Padovani, responsabile strategico della *Livraghi, Ogilvy & Mather,* la «cugina» italiana della *Eicóff & C.*

«Ci sono due modi di porsi davanti alla tv - spiega Padovani -. Il primo è attivo, e riguarda soprattutto i programmi di prima serata. Il secondo è passivo: subentra quando sullo schermo ci sono immagini che lasciano spazio alla distrazione: ad esempio i vecchi film in bianco e nero, quelli che tutti abbiamo già visto almeno dieci volte. Conosciamo la trama: li guardiamo con piacere, ma senza troppa concentrazione».

L'attenzione si abbassa, e la pubblicità colpisce. Una voce calma e suadente - che si rivolge al pubblico con il «tu» almeno tre volte nei due minuti scarsi dello spot - invita la gente a telefonare. «Le urlate alla Vanna Marchi sono inutili - spiega Padovani - basta saper scegliere il momento in cui lo spettatore è più disponibile a compiere le azioni che gli vengono suggerite: alzarsi, telefonare e comprare».

Ma quali sono le ore «a rischio»? Eicoff ha sintetizzato le sue idee in un grafico a sette colonne, una per ogni giorno della settimana. La resistenza alla pubblicità è minima la domenica, cresce progressivamente fino al mercoledì per poi ridiscendere verso il week end.

Stesso andamento per le ore della giornata: le difese sono basse al mattino e alla sera, il punto di maggior «repulsione» coincide con l'ora di pranzo .

«In fondo non c'è niente di nuovo - continua Padovani -. Immaginiamo di incontrare un ambulante uscendo di casa per andare al lavoro. Abbiamo fretta, la testa piena di pensieri e ancora molte energie per dire di no. Alla sera il nostro atteggiamento sarà diverso: stanchezza, problemi lasciati alle spalle, voglia di riposare. Se l'ambulante si ripresenta, forse non compreremo nulla lo stesso ma un po' di attenzione non gliela rifiuteremo. E' un fatto di tempi».

Per questo gli orari degli spot sono differenti a seconda degli obiettivi: la mattina presto si rivolgono alle casalinghe che non hanno ancora cominciato a lavorare, la sera tardi agli uomini che hanno già finito. Il sistema, a quanto pare, funziona.

Guido Tiberga

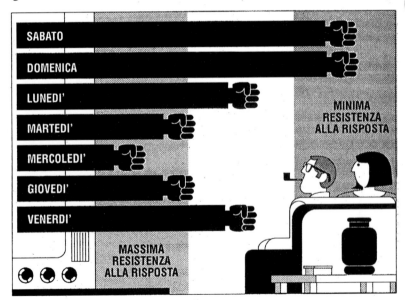

SABATO

DOMENICA

LUNEDI'

MARTEDI'

MERCOLEDI'

GIOVEDI'

VENERDI'

MINIMA RESISTENZA ALLA RISPOSTA

MASSIMA RESISTENZA ALLA RISPOSTA

Adattato da G. Tiberga, La Stampa

TU E GLI ALTRI

La classe si divide in due gruppi.
Il gruppo A completa la tabella dell'attività precedente nella parte relativa ai vantaggi della pubblicità.
Il gruppo B completa la lista degli svantaggi.
Dopo non più di 15 minuti, i due gruppi, disposti uno di fronte all'altro, discutono i diversi punti di vista.

LETTURA

Leggi le seguenti domande e, dopo aver letto il più velocemente possibile l'articolo "Lo spot delle 23 non perdona", cerca di rispondere.

1. Che cosa si intende con "Lo spot delle 23 non perdona"?
2. In che cosa consiste "la trappola dei film in bianco e nero"? (sottotitolo)
3. Perché bisogna stare all'erta dopo cena?
4. Che cosa è la teoria della minore resistenza?
5. Quali sono le ore e i giorni a rischio (quando la resistenza alla pubblicità è al minimo)?
6. Perché alla sera l'atteggiamento è più passivo? (2 motivi)
7. A chi si rivolgono gli spot del mattino?
8. A chi si rivolgono gli spot della sera?

A - LESSICO

Aiutandoti con il dizionario monolingue, spiega le seguenti frasi o parole tratte dall'articolo "Lo spot delle 23 non perdona".

1. lo spot non perdona (titolo)
2. tenete le antenne diritte (capoverso 1)
3. martellare ai fianchi (capoverso 1)
4. avere la guardia abbassata (capoverso 1)
5. blandire (capoverso 1)
6. studiata a tavolino (capoverso 2)
7. piazzare (capoverso 2)
8. conoscere la trama (capoverso 4)
9. una voce suadente (capoverso 5)
10. lasciarsi alle spalle i problemi (capoverso 8)

B

In coppia
Confrontate le vostre spiegazioni e, se necessario, consultate nuovamente il dizionario.

Nota: Vedi "Parole ed espressioni utili", p. 62.

STRUTTURE_____

*Completa le seguenti frasi con le preposizioni articolate (**di e a + l'articolo**), come nell'esempio.*

Esempio: Gli spot_____ tarda serata si rivolgono _____ uomini.
             Gli spot **della** tarda serata si rivolgono **agli** uomini.

1. Gli orari _____ spot sono differenti a seconda_____ obiettivi.
2. Lo spettacolo_____ undici è il più seguito.
3. In questo articolo si parla anche _____ film in bianco e nero.
4. In questo articolo si accenna _____ teoria _____ minore resistenza.
5. In alcuni giorni _____ settimana la diffidenza_____ pubblico nei confronti_____ pubblicità si attenua.
6. Molti prodotti vengono offerti direttamente_____ spettatore.
7. Lo studio porta il nome _____ massimo esperto di televisione interattiva.
8. Ci sono diversi modi di porsi davanti _____ TV.
9. Gli spot _____ mattina sono rivolti_____ casalinghe.
10. Gli spot _____ pomeriggio si rivolgono _____ bambini e_____ bambine.

COMPITI IN VACANZA SENZA STRESS

PRELETTURA

TU
Rispondi alle seguenti domande.

1. Quante ore alla settimana dedichi ai compiti?
2. Di solito, in quale momento della giornata esegui i compiti? Perché?
3. Pensi che sia giusto fare i compiti anche il fine settimana? Perché?
4. Pensi che sia utile faticare sui libri anche d'estate? Perché?
5. Secondo te, per quanto riguarda i compiti, quale dovrebbe essere il ruolo dei genitori nei confronti:
a) dei figli piccoli?
b) dei figli che frequentano la scuola media?
6. Quali dei seguenti verbi ti ricorda il rapporto che hai con i tuoi genitori (o figli) per quanto riguarda i compiti? Indicane almeno tre (puoi aiutarti con il dizionario).

[ ] preoccuparsi	[ ] litigare	[ ] rimproverare
[ ] aiutare	[ ] organizzare	[ ] impegnarsi
[ ] lavorare	[ ] svolgere	[ ] guidare
[ ] minacciare	[ ] punire	[ ] proporre
[ ] regalare	[ ] premiare	[ ] ....

LETTURA

A - *Leggi velocemente il testo alla ricerca delle informazioni che ti permettano di compilare la seguente tabella sul comportamento dei genitori verso i figli che frequentano la scuola media, per quanto riguarda i compiti delle vacanze.*

I GENITORI DOVREBBERO ...	I GENITORI NON DOVREBBERO ...

B - *Confronta la tua tabella con quella di un compagno e discuti eventuali differenze.*

MEDIE

Compiti in vacanza senza troppi stress

I ragazzi devono faticare sui libri anche d'estate? Niente paura. Basta organizzarsi con buon senso

«**B**isognerà pensare anche ai compiti delle vacanze». Proprio in questi giorni i genitori cominciano a porsi il problema. Dopo aver lasciato in giugno completa libertà ai figli, adesso sono preoccupati all'idea di dover litigare per i prossimi due mesi con i ragazzi, desiderosi di tutto, fuorché di impegnarsi su libri e quaderni. Eppure la memoria va esercitata anche a quest'età e non solo alle elementari perché gli studenti delle medie imparano in fretta ma, altrettanto presto, tendono a dimenticare quanto appreso. E poi, continuano a chiedersi mamma e papà, se un ragazzo ha lavorato tutto l'anno, non può godersi in tutta tranquillità il meritato riposo? Vittorio Fabricatore, docente di scuola media e autore di una collana di libri per le vacanze rivolta agli alunni delle medie, spiega: «Anche in questo caso è meglio svolgere i compiti assegnati: così lo studente sarà in grado di riprendere a settembre con maggior facilità. I professori sapranno poi valutare l'impegno di chi si presenterà con lavori ben eseguiti».

Grande libertà. Il bambino ha bisogno di una mano per eseguire i compiti: la guida dell'adulto è indispensabile per fargli ritrovare interesse per il lavoro scolastico. Ma, con i ragazzi delle medie, il discorso cambia, perché entrano in gioco la volontà e il ca-

rattere di ogni adolescente. All'età di 12-13 anni, inoltre, i genitori devono far leva sul crescente bisogno d'autonomia. Non avrebbe infatti senso richiamare continuamente il ragazzo ai suoi doveri, rimproverarlo perché non inizia i compiti, minacciare punizioni. Meglio discutere sulla necessità di non far passare troppo tempo senza riaprire i libri, ragionando su come organizzare il tempo estivo in previsione della ripresa della scuola.

Scelte mirate. I genitori devono lasciare che il figlio decida quando e come eseguire i compiti, secondo i suoi tempi e ritmi, ma facendolo riflettere sulle sue scelte. Se durante l'anno ha avuto difficoltà in una materia, allora sarà il caso che si faccia un programma di lavoro mirato, per recuperare le lacune, e così via. Quando il ragazzo ha deciso come organizzarsi e su che cosa concentrare i suoi sforzi, allora sarà bene invitarlo a rispettare i patti. L'aiuto del genitore, in questo caso, consisterà nel richiamarlo al suo impegno e nel chiedergli, di

tanto in tanto, se ha bisogno di una mano.

Esercizi intelligenti. Talvolta i compiti assegnati possono risultare noiosi, ripetitivi. «Effettivamente alcuni insegnanti hanno le loro responsabilità: se assegnano troppi esercizi del libro di matematica o di grammatica, le pagine di storia o geografia dei capitoli non conclusi, sarà difficile trovare interesse per questo lavoro» spiega Vittorio Fabricatore. Ma, anche in questo caso, c'è una via d'uscita: «Se il ragazzo si rifiutasse di applicarsi affermando che i compiti sono troppo noiosi, spetterà ai genitori cercare di risvegliare il suo interesse. Per esempio, se in italiano non è una cima in uscita: «Se il ragazzo si rifiutasse di applicarsi affermando che i compiti sono troppo noiosi, spetterà ai genitori cercare di risvegliare il suo interesse. Per esempio, se in italiano non è una cima perché non proporgli di impegnarsi su un buon libro o di dedicare mezz'ora della sua giornata alla lettura dei quotidiani?».

Margherita Giromini

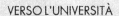

VERSO L'UNIVERSITÀ

Collegi, alternativa per i più bravi

Sperate di avere un buon voto alla maturità? State già pensando all'università? L'idea di altri anni passati sui libri però va di pari passo con la voglia d'indipendenza, l'esigenza di provare a vivere fuori casa che si scontra con i timori dei genitori e gli alti costi degli appartamenti. Una soluzione c'è: molto conveniente e anche di assoluto prestigio: i collegi universitari. Residenze d'eccezione per studenti, presenti in quasi tutte le

città con atenei, i collegi si differenziano dagli alloggi Isu (Istituti universitari per il diritto allo studio) perché qui si entra solo per merito, non in base al reddito. Alla domanda d'ammissione segue infatti il test d'ingresso, e per accedere ai posti a concorso, è d'obbligo un buon voto di maturità. Oppure, per chi si iscrive al secondo o terzo anno, un libretto di prim'ordine, secondo la media stabilita da ogni istituto. Punte di diamante nel panorama dei collegi italiani sono i due istituti di Pavia: il Collegio Ghislieri (tel. 0382/ 22231, fax 0382-23752) e il Borromeo (tel. 0382/ 21018-28011). Le iscrizioni sono aperte da marzo a settembre, fino a pochi giorni prima

dell'inizio delle prove d'esame: i concorsi d'ammissione si svolgono il 16 settembre al Ghislieri e il 21 settembre al Borromeo. Luoghi per studi d'elezione, con più di 400 anni di storia alle spalle, sono a disposizione dello studente che deve impegnarsi a dare esami e tesi in corso. I contributi da versare variano in base alla disponibilità economica: gratuiti fino a 45 o 50 milioni di reddito annuo familiare. Poi, secondo quanto dichiarato, fino ad una retta massima di 7 milioni l'anno per vitto, alloggio, e servizi degni dei migliori college anglosassoni. Al Ghislieri duecento ragazzi e ragazze vivono e studiano tra le mura che ospitarono nomi illustri. Al momento di stendere un curriculum quanto aiuta essere stati ex alunni del Ghislieri? «Più che il nome è proprio l'impronta formativa che il collegio dà a garantire una preparazione di prim'ordine» dice Anna Maria Mauro, direttrice della sezione femminile. «I ragazzi devono terminare gli esami in tempo, entro il 30 novembre di ogni anno. Pena l'espulsione. Così si laureano in corso, giovanissimi, e hanno più tempo per concorsi e specializza-

zioni. Poi dispongono di opportunità uniche per approfondire gli studi. Conferenze e dibattiti, attività culturali, seminari, oltre alle borse di studio per viaggi scambio all'estero. Sì, alla fine si arriva a una laurea che probabilmente pesa di più perché è stata preparata con rigore». Lo sanno bene gli ex collegiali, che propongono ai figli di rifare la loro esperienza anche se magari abitano nella stessa città: «Sono di Pavia e dopo la maturità volevo provare a vivere fuori casa. I miei genitori mi hanno proposto il Ghislieri. Adesso, dopo tre anni, sono felicissima della mia scelta» dice Anna, studentessa della facoltà di Lettere. «Certo non è facile mantenere il ritmo, ma devo ringraziare il collegio se sono in regola con gli esami. Qui in certi periodi, la voglia di studiare viene per forza, non vedi nessuno in giro per corridoi o sala di lettura, siamo tutti chiusi in camera a prepararci». Da sfatare però il mito del collegio-clausura: il coprifuoco non scatta fino all'una di notte. Al Borromeo, storica roccaforte maschile, i ragazzi possono rientrare anche alle due del mattino.

Maurizia Bonvini

LESSICO

A - *Trova nel primo capoverso la parola o l'espressione equivalenti alle seguenti.*

1. interrogarsi sull'argomento   . . . .
2. essere in contrasto   . . . .
3. applicarsi   . . . .
4. ugualmente   . . . .
5. non ricordare   . . . .
6. domandarsi   . . . .
7. serie di testi dello stesso tipo   . . . .
8. eseguire   . . . .
9. essere capace di   . . . .
10. giudicare   . . . .

B - *Tenendo conto del contesto e aiutandoti con un dizionario monolingue, spiega le seguenti frasi, tratte dall'articolo.*

1. **Entrano in giuoco** la volontà e il carattere. (r. 50/51)
2. Il bambino ha **bisogno di una mano.** (r. 43)
3. C'è **una via d'uscita.** (r. 108)
4. **Non è una cima.** (r. 115)
5. Invitare i ragazzi a **rispettare i patti.** (r. 85/86)

C
In coppia
Confrontate le vostre spiegazioni e, con riferimento al testo, discutete eventuali differenze.

STRUTTURE

Completa le seguenti frasi con la preposizione corretta.

1. Ho dedicato _____ lettura un'ora al giorno .
   (a) sulla   (b) nella   (c) alla

2. Lo hanno invitato _____ trascorrere le vacanze con loro.
   (a) di   (b) a   (c) da

3. Non hai riflettuto _____ questo problema.
   (a) su   (b) in   (c) con

4. Il problema consiste _____ trovare una motivazione.
   (a) sulla   (b) nel   (c) alla

5. Ho pensato _____ quello che mi hai detto.
   (a) in   (b) su   (c) a

6. Continuano _____ lavorare con impegno.
   (a) a   (b) di   (c) per

7. Cercheremo _____ arrivare presto.
   (a) per   (b) di   (c) a

8. Abbiamo incominciato _____ studiare italiano.
   (a) di   (b) con   (c) a

9. Hai finito _____ fare i compiti delle vacanze?
   (a) con   (b) di   (c) a

10. Avevi promesso _____ aiutarmi!
    (a) per   (b) di   (c) a

TU E GLI ALTRI

A

- *Confronta con i tuoi compagni le risposte date nella sezione di prelettura.*
- *Discutete, dove possibile, i pro e i contro delle diverse scelte.*
- *Per quanto riguarda la sesta domanda, discutete la scelta dei verbi proposti.*

B - REGOLE PER LA DISCUSSIONE

Quando si discute, quali regole bisognerebbe seguire?
Cercate di completare la seguente tabella.

Parlare uno alla volta
Ascoltare gli altri
Non interrompere

C - DISCUSSIONE

La classe si divide in due gruppi.
Il gruppo A sostiene l'idea che sia meglio essere autoritari con i figli.
Il gruppo B sostiene invece che sia meglio essere permissivi.
I due gruppi hanno 15 minuti di tempo per prendere appunti utili per la discussione che seguirà.

Parole ed espressioni utili

- Vorrei aggiungere che ...
- Non siamo assolutamente d'accordo ...
- Però ...
- Comunque ...
- Secondo me ...
- Da un certo punto di vista ...
- In generale ...
- Anche se ...
- Forse ...

SCRITTURA

Sei appena tornato a scuola dalle vacanze. Scrivi una lettera ad un amico/un'amica e informalo/la sull'inizio dell'anno scolastico (i tuoi nuovi compagni e insegnanti, l'orario, i compiti assegnati, il tuo stato d'animo). Chiedi infine informazioni sugli stessi argomenti al tuo/alla tua corrispondente.

"SPEZIA BRUCIA. CHI LA INCENDIA?"

PRELETTURA

TU
Osserva la prima fotografia (p. 108) e rispondi alle seguenti domande.

Secondo te, ...
1. in che periodo dell'anno siamo?
2. che cosa sta facendo tutta questa gente?
3. come mai le due macchine, in corsie diverse, procedono nella stessa direzione?

LETTURA

Leggi il testo "Spezia brucia. Chi la incendia?" e rispondi alle seguenti domande.

1. Chi si chiede se esista "una strategia che consiste nello scempio sistematico di pinete e macchia mediterranea" del territorio intorno alla città della Spezia?
2. Perché la gente è fuggita da Montemarcello?
3. Perché la Legambiente non crede alla teoria che gli incendi siano stati causati solamente da persone dalla mente contorta?
4. Perché la Legambiente è polemica nei confronti del prefetto?
5. Come pensa di agire il W.W.F.?
6. A quale conclusione giunge il giornalista, dopo aver riportato i dati della Forestale?
7. Chi sono i responsabili degli incendi nei boschi secondo il coordinatore del Corpo Forestale?
8. Da che cosa si capisce che moltissimi cittadini collaborano con la Polizia e i Carabinieri?
9. Quale risultato hanno già dato le operazioni di polizia?
10. Perché il giovane piromane scoperto dai carabinieri a Lerici è riuscito a sfuggire all'arresto?
11. Quali misure sono state prese contro gli incendi?
12. Quali contromisure saranno prese?

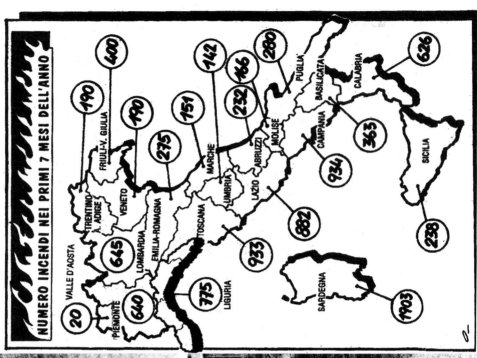

NUMERO INCENDI NEI PRIMI 7 MESI DELL'ANNO

VALLE D'AOSTA 20
PIEMONTE 640
LOMBARDIA 645
TRENTINO A. ADIGE 790
FRIULI-V. GIULIA 400
VENETO 790
EMILIA-ROMAGNA 275
LIGURIA 775
TOSCANA 751
MARCHE 953
UMBRIA 742
LAZIO 882
ABRUZZI 766
MOLISE 232
PUGLIA 200
CAMPANIA 934
BASILICATA 363
CALABRIA 626
SICILIA 238
SARDEGNA 1903

IL SECOLO XIX

Sabato, 7 agosto

A Montemarcello, la splendida
collina che domina la foce del
Magra, si sono vissute le ore più
drammatiche. Sono fuggiti
abitanti e turisti, qualcuno con le
valige in mano. I boschi ora sono
sorvegliati giorno e notte e ogni
auto sospetta viene fermata

dalla redazione
LA SPEZIA

Dopo 72 ore di fuoco, paura e danni ingentissi-
mi al patrimonio ambientale, gli incendi cominciano a sollevare interrogativi non solo fra gli
abitanti delle zone più colpite dalle fiamme, ma
anche fra le forze dell'ordine. Esiste una strategia
che consiste nello scempio sistematico di pinete e
macchia mediterranea dello Spezzino? A Montemarcello, località "in" del comune di Ameglia, si
sono vissute le ore più drammatiche: il fuoco misto a colonne di fumo ha percorso velocemente
centinaia di metri facendo scappare gli animali e
scatenando scene di panico fra la popolazione
che, valigie in mano, si è allontanata in un clima
di grande concitazione. A chi giova tutto questo?
Non ha dubbi la Lega Ambiente cittadina: snoc-
ciola le proprie convinzioni dicendosi convinta che
«undici incendi contemporanei o vicini di pochi
giorni non possono essere solo il frutto di qualche
mente contorta»; polemizza con il prefetto, che ha
«dimostrato in questa occasione scarse capacità
di coordinamento»; preannuncia infine una denuncia contro ignoti alla Procura. Il Wwf da parte
sua intende costituirsi parte civile nei processi
contro i piromani dei boschi.

Si potrebbe dedurre che la provincia spezzina, da
decenni fortemente ambientalista, possa essere fi-
nita nel mirino di gruppi organizzati "antiverdi". Ma,
per ridimensionare tutto sono sufficienti alcuni dati:
la Forestale fa sapere che per lo Spezzino (60
mila ettari di superficie boschiva su un totale di 80
mila, uno dei temi più "verdi" d'Italia) non è questo
l'anno peggiore: i 215 incendi del 1989 hanno bru-
ciato 1.133 ettari di boschi e campi coltivati. E anche il 1990 (890 ettari distrutti) e il 1991 (711) non
sono stati da meno. I danni di questo inizio d'agosto ammontano a 340 ettari a cui vanno aggiunti i
40 dei primi 7 mesi del '93. Quindi, a Spezia, i piromani ci sono sempre stati.

Dante Marchi, coordinatore per la Liguria del Corpo Forestale, ha una sua teoria: «Bruciare i boschi
sta diventando una forma di vandalismo generaliz-
zata: chi di solito distrugge in città le cabine telefoniche o altre infrastrutture urbane, d'estate trova
più "eccitante" prendersela con gli alberi». Polizia
e carabinieri indagano per snidare i piromani (nu-
merossime le segnalazioni giunte al numero verde
antincendi 167-8070), tre dei quali sono finiti in
manette e due denunciati a piede libero: due di
loro hanno precedenti penali. Di un altro misterio-
so uomo con i baffi esista addirittura un identikit.
Alla Spezia e dintorni la "caccia al piromane" è
aperta giorno e notte: l'altra sera, a Lerici, i carabinieri avevano scoperto un giovane con un tizzone
in mano ma, al momento di bloccarlo, è interve-
nuta la gente del posto (armata di robusti bastoni)
che voleva farsi giustizia da sé. Risultato: il piromane è sfuggito all'arresto (e al linciaggio).

Intanto, anche ieri Canadair ed elicotteri hanno
sorvolato le zone distrutte dal fuoco (a Valeriano,
di nuovo a Montemarcello, a Stagnedo, a Madri-
gnano in comune di Beverino). Ma le contromisure
antincendi sono già operative: i boschi sono sorvegliati, anche di notte, da polizia, carabinieri, vigili
urbani e squadre speciali della forestale. Auto sospette e solitari della notte vengono fermati e
identificati. Per salvaguardare il patrimonio ambientale della provincia spezzina, al pari di tutta la
Liguria, la Forestale confida molto nel prossimo
perfezionamento del sistema di avvistamento. Nelle maggiori oasi naturali della regione (monte di
Portofino, Cinque Terre, Montemarcello, Villa
Hambury) saranno posizionate torrette munite di
sensori all'infrarosso e telecamere girevoli: un aumento inguistificato della temperatura ambientale,
a causa dell'inizio di un focolaio, verrà trasmesso
in tempo reale al centro operativo regionale di Genova. Da qui scatterà poi l'allarme per le squadre
antincendio a terra e in cielo.

Umberto Gambino

LESSICO

Le parole in neretto sono tratte dal testo. Indica con una x la parola o espressione che le possono sostituire.

1. **fuggiti** (sottotitolo)
   [a] partiti
   [b] scappati
   [c] arrivati
   [d] andati

2. **scatenando** (r. 12)
   [a] bruciando
   [b] distruggendo
   [c] facendo esplodere
   [d] fuggendo

3. **piromane** (r. 24)
   [a] chi spegne il fuoco
   [b] chi ha la mania di appiccare il fuoco
   [c] chi accende il fuoco
   [d] chi ha paura del fuoco

4. **prendersela** (r. 44)
   [a] adirarsi con
   [b] rallegrarsi con
   [c] lamentarsi con
   [d] prendere con

5. **snidare** (r. 45)
   [a] scoprire
   [b] fare il nido
   [c] arrestare
   [d] punire

6. **hanno precedenti penali** (r. 49)
   [a] sono stati condannati precedentemente
   [b] hanno subito un processo precedentemente
   [c] sono stati arrestati precedentemente
   [d] sono stati denunciati precedentemente

7. **tizzone** (r. 53)
   [a] strumento per accendere il fuoco
   [b] legno infuocato
   [c] arma da fuoco
   [d] fiammifero

8. **salvaguardare** (r. 66)
   [a] mettere in guardia
   [b] fare la guardia
   [c] mettere in salvo
   [d] proteggere

9. **al pari di** (r. 67)

[a] a due a due
[b] in cambio di
[c] allo stesso modo di
[d] in coppia

10. **munite di** (r. 72)

[a] fornite di
[b] costruite con
[c] fortificate con
[d] composte di

LESSICO

I nomi e i verbi seguenti si riferiscono all'acqua ed al fuoco.
Aiutandoti con il dizionario, completa la tabella come nell'esempio,

accendere, allagare, alluvione, ardere, asciugare, bagnare, bere, bruciare, cenere, divampare, fiamma, fontana, fumo, incendio, innaffiare, pioggia, pozzo, scintilla, sorgente, spegnere

ACQUA	FUOCO
pioggia	incendio

Note
sollevare interrogativi (r. 3)	far nascere domande
scempio (r. 6)	distruzione
macchia mediterranea (r. 7)	insieme di piante e arbusti tipici dell'area mediterranea
concitazione (r. 14)	intensa agitazione
costituirsi parte civile (r. 23)	richiedere i danni in un processo
sistema di avvistamento (r. 69)	sistema per riconoscere, individuare da lontano
focolaio (r. 75)	punto da cui si propaga il fuoco

STRUTTURE _____

Trasforma le seguenti frasi, come nell'esempio, usando mentre, poiché, se, dopo (...).

Esempio: Viaggiando in autostrada, abbiamo visto un incendio.
Mentre viaggiavamo in autostrada, abbiamo visto un incendio.

1. **Vedendo** in lontananza il fumo, gli abitanti del paese si sono allontanati.
2. **Fuggendo** in preda al panico, si è ferito.
3. **Essendo accorsa** la gente del luogo, il piromane si è dato alla fuga.
4. **Incendiando** i boschi, si provocano gravi danni all'ambiente.
5. **Passeggiando** nel bosco, videro una persona sospetta aggirarsi tra gli alberi.
6. **Installando** i sensori, è possibile segnalare eventuali focolai d'incendi.
7. **Avendo controllato** la zona, gli elicotteri sono rientrati alla base.
8. **Gettando** distrattamente un mozzicone di sigaretta per terra, ha provocato un incendio.
9. **Avendo trascorso** una notte insonne, tutti tornarono alle loro case.
10. **Essendo intervenuti** i Vigili del Fuoco, l'incendio è stato domato in tempo.

POSTLETTURA _____

PREVENZIONE

Ogni anno l'Italia è devastata dagli incendi (vedi pag. 108).
Hai appena letto l'articolo dove si parla anche di prevenzione .
Completa la seguente tabella, indicando quello che, secondo te, si può fare per lottare contro gli incendi che ogni anno distruggono i boschi italiani.

PREVENZIONE
sorvegliare i boschi
utilizzare sensori a raggi infrarossi
utilizzare molti aerei e elicotteri

SCRITTURA

Sei in vacanza in Italia.
Sei stato/a testimone di un grave incendio. Scrivi una lettera ad un amico italiano e racconta questa terribile esperienza.

Puoi utilizzare la seguente guida:
- turisti fuggono
- villaggi evacuati
- quattro morti
- due feriti
- distrutto un ettaro di bosco
- vigili del fuoco impegnati nel domare le fiamme
- caccia al piromane
- elicotteri
- vento forte
- sei persone disperse

ATTIVITA' SUPPLEMENTARE

SCRITTURA

Utilizzando la mappa delle idee a pag. 114, prepara una relazione scritta sulle cause, sulle conseguenze e sulla prevenzione degli incendi.

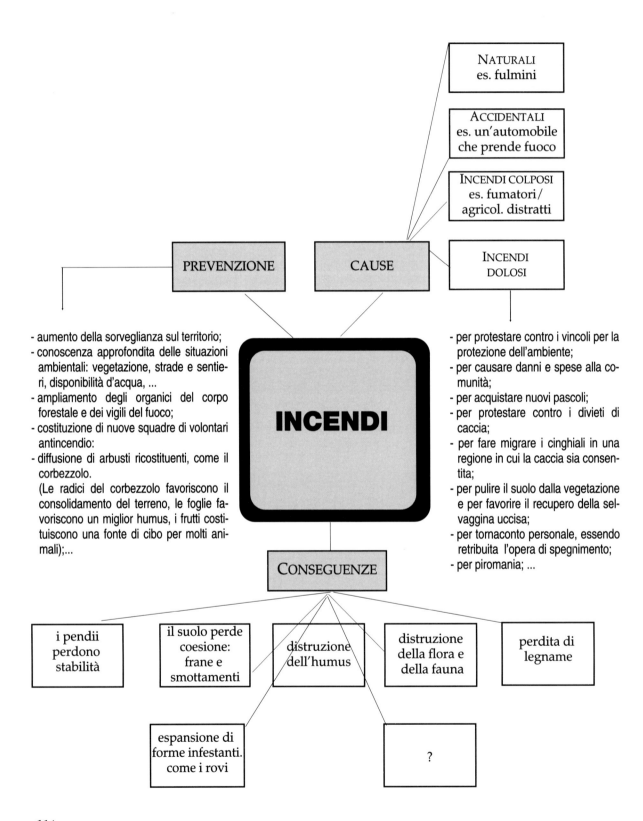

NATURALI
es. fulmini

ACCIDENTALI
es. un'automobile
che prende fuoco

INCENDI COLPOSI
es. fumatori/
agricol. distratti

INCENDI
DOLOSI

PREVENZIONE

CAUSE

- aumento della sorveglianza sul territorio;
- conoscenza approfondita delle situazioni ambientali: vegetazione, strade e sentieri, disponibilità d'acqua, ...
- ampliamento degli organici del corpo forestale e dei vigili del fuoco;
- costituzione di nuove squadre di volontari antincendio:
- diffusione di arbusti ricostituenti, come il corbezzolo.
  (Le radici del corbezzolo favoriscono il consolidamento del terreno, le foglie favoriscono un miglior humus, i frutti costituiscono una fonte di cibo per molti animali);...

INCENDI

- per protestare contro i vincoli per la protezione dell'ambiente;
- per causare danni e spese alla comunità;
- per acquistare nuovi pascoli;
- per protestare contro i divieti di caccia;
- per fare migrare i cinghiali in una regione in cui la caccia sia consentita;
- per pulire il suolo dalla vegetazione e per favorire il recupero della selvaggina uccisa;
- per tornaconto personale, essendo retribuita l'opera di spegnimento;
- per piromania; ...

CONSEGUENZE

i pendii perdono stabilità

il suolo perde coesione: frane e smottamenti

distruzione dell'humus

distruzione della flora e della fauna

perdita di legname

espansione di forme infestanti. come i rovi

?

114

Chiavi Unità **1**

IL TELEFONO COME E QUANDO

LETTURA

a.3
b.1
c.4
d.7
e.8
f.5
g.2
manca la tabella 6

LESSICO

1. colpo
2. rispondere
3. sbagliato
4. caduta
5. passo
6. prefisso
7. numero verde
8. carta telefonica
9. occupata
10. bolletta

STRUTTURE

1. Non **la** sento, **parli** più forte!
2. Quante telefonate **fa** ogni settimana?
3. Quante telefonate **riceve** ogni giorno?
4. **Può** richiamare più tardi?
5. **Ha** telefonato al dentista?
6. **Dovrebbe** telefonare a questo numero.
7. **Vuole** lasciare un messaggio?
8. **Si ricordi** di prenotare.
9. **Si deve** rivolgere all'ufficio informazioni.
10. **Mi dica**!

NON ABBANDONIAMOLI!

LETTURA

A

1.c
2.c
3.b.
4.c

LESSICO

A

1. malcostume
2. bisogna
3. non rimane altro
4. purtroppo
5. quotidiana
6. solamente
7. eliminazione
8. mediante
9. porre
10. affidare

B

CANE	GATTO
abbaiare	drizzare il pelo
fare la guardia	fare le fusa
guaire	farsi le unghie
ringhiare	graffiare
scodinzolare	miagolare

C

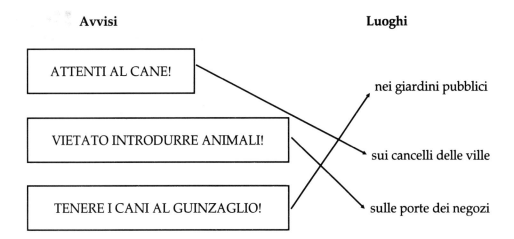

Avvisi

ATTENTI AL CANE!

VIETATO INTRODURRE ANIMALI!

TENERE I CANI AL GUINZAGLIO!

Luoghi

nei giardini pubblici

sui cancelli delle ville

sulle porte dei negozi

STRUTTURE

A

1. Non **li abbandoni!**
2. Non **lo tenga** sempre al guinzaglio!
3. Non **gli telefoni!**
4. Non **lo faccia** entrare!
5. Non **la sgridi!**
6. Non **li faccia** arrabbiare!
7. Non **gli dia** troppo da mangiare!
8. Non **li disturbi!**
9. Non **lo stringa** troppo forte!
10. Non **li costringa** a stare in casa!

B

1. Non **abbandoniamoli!**
2. Non **teniamolo** sempre al guinzaglio!
3. Non **telefoniamogli!**
4. Non **facciamolo** entrare!
5. Non **sgridiamola!**
6. Non **facciamoli** arrabbiare!
7. Non **diamogli** troppo da mangiare!
8. Non **disturbiamoli!**
9. Non **stringiamolo** troppo forte!
10. Non **costringiamoli** a stare in casa!

117

L'ESTATE ALL'INSEGNA DELLO SPORT

IL DUBBIO

Forme corrette

1. settimana
2. attività
3. generalmente
4. il programma
5. un altro
6. diffuse
7. molte
8. molte
9. qualchevolta
10. c'è - pratica

STRUTTURE

A

1. Alla gara hanno partecipato **molti** atleti.
2. C'era **molta** folla.
3. E' **molto** interessante assistere ad una partita di pallanuoto.
4. E' stata una vacanza **molto** rilassante.
5. Faceva **molto** freddo.
6. Ho partecipato a **molte** gare.
7. Le lezioni di windsurf sono **molto** costose.
8. Pratico **molti** sport.
9. Si è sottoposto ad allenamenti **molto** faticosi.
10. Vado **molto** volentieri in palestra.

B

1. Ci sono **pochi** turisti!
2. E' **poco** probabile che vinca lui.
3. E' uno sport **poco** praticato.
4. Ha **poca** resistenza.

5. Ho **poco** tempo per allenarmi.
6. Si sente **poco** bene.
7. Ho visto **poche** volte uno spettacolo simile.
8. Nella mia città sono **pochi** i centri sportivi.
9. Si è allenata **poco.**
10. Sono **poco** interessati allo sport.

ATTIVITÀ SUPPLELEMENTARI _____

IL GIOCO

A - *Riordina le seguenti per giocare a "Indovina lo sport", come nell'esempio.*

[7]   Il giocatore deve indovinare di che sport si tratti, rivolgendo domande agli altri
[3]   Bisogna indovinare entro 5 minuti (o, per rendere il gioco più difficile, si può stabilire un numero massimo di domande consentite)
[5]   Gli altri giocatori pensano ad uno sport
[8]   Gli interrogati devono rispondere solo "Sì" o "No"
[1]   I partecipanti possono essere due o più
[6]   Il giocatore che si era allontanato ritorna
[9]   Il gicoo si può svolgere all'aperto o al chiuso
[2]   Non serve materiale.
[4]   Uno dei giocatori si allontana

CHI LAVORA E CHI NO

IL MARITO DISOCCUPATO

Età	49 anni
Periodo di disoccupazione	1 anno
Motivi di abbandono della scuola	aiutare la madre
Stato d'animo	demoralizzato
Occupazioni precedenti	rappresentante di commercio, operaio, guardia giurata
Lavoro richiesto	qualsiasi lavoro
Aspetto fisico	giovanile
Occupazione dei figli	studentessa, disoccupato
Speranze della moglie	che qualcosa cambi

LESSICO

A

1. disoccupato/a
2. cuoco/a
3. pittore/pittrice
4. attore/attrice
5. fruttivendolo/a
6. medico
7. preside
8. postino/a
9. meccanico
10. elettricista

STRUTTURE

A

1. riceviate
2. troviate
3. sia
4. debbano
5. cambi

B

1. Credi che (io) non **voglia** lavorare?
2. E' certo che (loro) non **capiscono** il problema.
3. Ho l'impressione che (lui) **sia** demoralizzato.
4. Mi auguro che (loro) ti **assumano**.
5. Non sono sicuro che (lui) **riesca** a finire in tempo.
6. Pensate che (noi) **possiamo** aiutarvi?
7. So che (tu) **lavori** presso un'azienda.
8. Sono sicuro che non **è** vero.
9. Spero che (lui) **trovi** presto un'occupazione.
10. Ti ripeto che non ne **so** niente.

C

1. **Alcuni** lavori sono molto faticosi
2. **Ogni** lavoratore deve avere il libretto di lavoro.
3. Quel lavoro è **troppo** rischioso.
4. C'è **parecchio/troppo** lavoro da fare.
5. Ci vorrebbe **un po'** più di tempo per fare bene questo lavoro.
6. Accetterei un lavoro **qualsiasi.**
7. Ho presentato **tantissime/alcune** domande di lavoro.
8. Ha **poca** esperienza di lavoro.

Chiavi

LA CASA IN CASSAFORTE

LESSICO _____

A

1. topi d'appartamento
2. incremento
3. a soqquadro
4. estranei
5. installare
6. dispositivo
7. sensibilizzare
8. alle prime armi
9. grate
10. robuste-antisfondamento

STRUTTURE _____

1. Come **si chiama?**
2. Dove **abita?**
3. Che cosa **le** è successo?
4. Che cosa **le** hanno rubato?
5. A che ora **è** rientrato a casa?
6. Per quanto tempo **è** stato fuori casa?
7. **Ha** qualche sospetto?
8. **Aveva** denaro in casa?
9. **La** informerò al più presto.
10. **Si calmi!**

GLI ITALIANI E LA TV

STRUTTURE

1. I bambini dovrebbero trascorrere **meno** ore davanti alla TV.
2. La **maggior** parte degli italiani trascorre davanti alla TV poco più di tre ore.
3. La **maggioranza** dei teleutenti ritiene che la TV sia un importante strumento di informazione.
4. Spesso i programmi **peggiori** vengono trasmessi in tarda serata.
5. Mi piacciono i quiz, ma ancora **di più** gli sceneggiati.
6. Penso che i pregi della TV siano **maggiori** dei difetti.
7. Solo una **minoranza** delle persone intervistate potrebbe rinunciare al televisore.
8. **Molti** genitori permettono che i bambini guardino la TV senza alcun controllo.
9. **Oltre** tutto la TV fa male alla vista!
10. In quel canale c'è **molta** pubblicità.

Chiavi

CACCIA AL TESORO

LETTURA

A

1 Ad Alassio
2 Soluzione di quiz e giochi che dovranno essere consegnati nel minore tempo possibile nei posti di controllo.
3 Divertire i turisti e lanciare un invito a ridurre all'indispensabile l'utilizzo delle auto.
4 Alle 14,00, nella piazza del Comune.
5 A partire dalle 21,30, nella piazza del Comune.
6 Biciclette, macchine fotografiche, zaini e altri premi.

LESSICO

Che cosa vuol dire...?

1 [d]. pizzico
2 [l]. bandite
3 [h]. gara
4 [a]. giochi
5 [b]. è previsto
6 [i]. all'indispensabile
7 [g]. godere
8 [c]. in palio
9 [f]. raduno
10 [e]. atteso

STRUTTURE

A

1. consistere - è consistita
2. muovere - è mosso
3. iniziare - è iniziata
4. utilizzare - hanno utilizzato
5. andare - sono andati

6. ricevere - hanno ricevuto
7. essere - è stata
8. giungere - è giunta
9. partecipare - abbiamo partecipato
10. divertirsi - si sono divertiti

B

1. Chiunque **ha potuto** partecipare al gioco.
2. I concorrenti **hanno dovuto** rispettare le regole.
3. **Sono dovuti** partire in ritardo a causa del cattivo tempo.
4. Non **abbiamo potuto** usare né macchine né moto.
5. **Siamo dovuti** arrivare entro le 14.
6. Le nostre amiche **sono volute** tornare a piedi.
7. Quanto **avete dovuto** pagare per partecipare?
8. Mia sorella non **è potuta** rimanere fino alla fine.
9. Gli organizzatori **hanno voluto** offrire ai turisti una serata divertente.
10. Non **sono voluto** andare alla manifestazione.

IL DUBBIO

Forme corrette

1. **Nei** centri urbani il traffico è caotico.
2. Ho fatto il **turista**.
3. La giornata è stata **particolarmente** afosa.
4. Sono andata in **vacanza** ad Alassio.
5. Sono in palio ricchi **premi.**
6. La **manifestazione** ha avuto successo.
7. Alassio è una bella **città**.
8. La "caccia al tesoro" è **un appuntamento** molto atteso.
9. **I giovani** hanno partecipato numerosi.
10. **Vogliamo** partecipare alla gara.

ATTIVITÀ SUPPLEMENTARI

A

1. partecipare	partecipante, partecipazione
2. organizzare	organizzatore, organizzazione
3. divertire	divertimento
4. spostare	spostamento
5. manifestare	manifestante, manifestazione
6. invitare	invitato, invito
7. classificare	classifica, classificazione
8. premiare	premio, premiazione
9. attendere	attesa
10. cacciare	cacciatore, caccia, cacciagione

SCUOLAMBIENTE

STRUTTURE

I problemi più gravi nel mio paese sono **il** degrado dell'ambiente, **lo** spreco delle risorse energetiche, **la** criminalità, **la** disoccupazione e l'inflazione.

Gli inceneritori dei rifiuti, **gli** scarichi delle industrie, **il** riscaldamento delle case e **i** gas di scarico dei mezzi di trasporto rappresentano **i** più gravi problemi ambientali nella zona in cui vivo.

A mio parere, per conservare o migliorare l'ambiente in cui viviamo, dovrebbero fare di più sia **il** governo sia **le** regioni sia **i** singoli cittadini.

Per migliorare l'ambiente, **i** singoli cittadini dovrebbero portare negli appositi contenitori: **il** vetro, **la** carta, **la** plastica, **le** pile scariche, **i** farmaci scaduti. Inoltre, dovrebbero da una parte riscaldare meno **le** case e evitare **la** dispersione di calore e dall'altra usare meno **l'** automobile e di più **i** mezzi di trasporto.

IL DUBBIO

1. Le possibili cause sono varie.	[b]
2. I farmaci scaduti sono molto dannosi.	[b]
3. Il WWF e la Legambiente sono associazioni ambientaliste.	[a]
4. Non bisogna disperdere rifiuti nell'ambiente.	[b]
5. L'emigrazione degli extra-comunitari è aumentata.	[b]
6. E' necessario risparmiare la corrente elettrica.	[a]
7. Bisogna usare di più i mezzi di trasporto pubblico.	[b]
8. La criminalità è un grave problema.	[a]
9. Gli scarichi delle industrie inquinano l'ambiente.	[a]
10. C'è un enorme spreco di risorse energetiche.	[a]

RICERCA DI PAROLE

Chiave: EFFETTO SERRA

NATURALMENTE

LESSICO

1. non accendere   fuochi
2. non raccogliere   fiori
3. non incidere   tronchi
4. non lasciare   rifiuti
5. non usare   veicoli a motore
6. approfondire   i problemi del parco
7. non portare   cani
8. portare   un binocolo
9. non inseguire   animali
10. segnalare   incendi

STRUTTURE

1. **Si informi** sul parco prima e durante la visita.
2. **Approfondisca** i problemi del parco.
3. **Discuta** con le persone interessate.
4. **Si rechi** ai centri di visita e di informazione.
5. **Cerchi** di comportarsi nel modo più "ecologico".
6. **Percorra** almeno un paio di itinerari naturalistici a piedi.
7. Non **raccolga** fiori.
8. Non **accenda** fuochi.
9. Non **porti** con **sé** cani.
10. Se **ha** la fortuna di osservare animali selvatici, non **li insegua**.

VACANZE

LETTURA

A. Consente di predeterminare un bilancio senza sorprese e di godersi la vacanza senza patemi. E' pratica, comoda e economica. Risponde all'esigenza di socialità e di aggregazione degli italiani.

B. Costi dimezzati, vita all'aria aperta e possibilità di cambiare rapidamente località se quella prescelta non piace.

C. Possibilità di trascorrere una vacanza di autentico riposo lontano dai sovraffollamenti e dallo sfruttamento economico delle stazioni di grande turismo. Vita all'aria aperta, il contatto con la vita e la cultura dei contadini, la cucina genuina, l'ospitalità rurale.

STRUTTURE

1. Le vacanze sono diventate quasi una necessità **(a) cui** pochi rinunciano.
2. Le ragioni **per cui** sono apprezzati i villaggi turistici sono molte.
3. I giovani preferiscono le località turistiche **in cui** possono praticare sport e divertirsi.
4. Il luogo **in cui** ho trascorso le vacanze lo scorso anno è molto tranquillo.
5. Sono sempre più numerosi gli italiani **che** scelgono il villaggio turistico.
6. Il caravan è una realtà **che** si sta diffondendo anche in Italia.
7. Il paesaggio rurale è un'oasi **in cui** il turista riscopre il contatto con la natura.
8. Gli amici **con cui** vado più volentieri in vacanza sono Giacomo e Luisa.
9. Sono molte le associazioni **(a) cui** ci si può rivolgere.
10. Sono tantissime le offerte di vacanze **tra cui** si può scegliere.

ATTIVITÀ SUPPLEMENTARI

1. Le vacanze sono diventate quasi una necessità **alla quale** pochi rinunciano.
2. Le ragioni **per le quali** sono apprezzati i villaggi turistici sono molte.
3. I giovani preferiscono le località turistiche **nelle quali** possono praticare sport e divertirsi.
4. Il luogo **nel quale** ho trascorso le vacanze lo scorso anno è molto tranquillo.
5. Sono sempre più numerosi gli italiani **i quali** scelgono il villaggio turistico. (poco usato)
6. Il caravan è una realtà **la quale** si sta diffondendo anche in Italia. (poco usato)
7. Il paesaggio rurale è un'oasi **nella quale** il turista riscopre il contatto con la natura.
8. Gli amici **con i quali** vado più volentieri in vacanza sono Giacomo e Luisa.
9. Sono molte le associazioni **alle quali** ci si può rivolgere.
10. Sono tantissime le offerte di vacanze **tra le quali** si può scegliere.

FERIE DI SOLIDARIETÀ

LETTURA

A

1. Recupero di materiali riciclabili o allestimento di mercatini dell'usato.
2. Momenti di riflessione, approfondimento sui problemi del Sud del mondo.

B

1. [F] No, sono a carico dell'organizzazione.
2. [F] Durante lo studio vengono approfonditi i problemi del Sud del mondo.
3. [V] I partecipanti sono assicurati in caso di incidenti.
4. [V] I campi possono durare fino a 15 giorni.
5. [F] Si recuperano per finanziare un progetto di sviluppo nel Terzo Mondo.
6. [F] Bisogna avere dai 18 ai 30 anni.

LESSICO

IN ALTRE PAROLE

1. I partecipanti **devono** avere un'età compresa tra i 18 anni e i 30 anni (r. 6).
2. Bisogna **recuperare** materiali riciclabili (r. 9).
3. Il ricavato verrà utilizzato per **finanziare** un progetto (r. 14).
4. Lo studio consiste nell'**approfondire** i problemi (r. 20/22).
5. L'organizzazione **fornisce** il vitto e l'alloggio (r. 34/36).

STRUTTURE

A

1. Chiunque **potrà** aderire.
2. Il lavoro **consisterà** nel recupero di materiali riciclabili.
3. I giovani che **aderiranno** all'iniziativa **saranno** coperti da assicurazione.

4. L'alloggio **sarà** a carico dell'organizzazione.
5. Il partecipante **dovrà** portare con sé solo gli oggetti personali.
6. **Verranno** affrontati problemi di carattere generale.
7. I partecipanti **dovranno** contribuire alle spese con una quota.
8. Molti giovani **vorranno** trascorrere le vacanze in modo diverso.
9. I partecipanti **avranno** molto tempo a disposizione per discutere vari argomenti.
10. I campi **saranno** organizzati dall'associazione "Mani Tese".

B

1. **Deve essere stipulata** un'assicurazione contro gli infortuni.
2. **Sarà/verrà dato** un contributo in danaro.
3. **Sono stati recuperati** materiali riciclabili.
4. **Potranno essere dedicate** alcune ore allo svago.
5. **Devono essere versate** 25 mila lire per le spese.
6. **Furono/vennero discussi** argomenti di carattere generale.
7. **Può essere fatto** un progetto sull'ambiente.
8. **Doveva essere scritta** una relazione.
9. **Sono/vengono venduti** prodotti tipici.
10. **Dovrà essere seguito** il regolamento.

SCOLARESCHE AL SUPERMARKET IMPARANO A FARE SHOPPING

LETTURA _____

A

PROTAGONISTI	50 allievi di una scuola media
TIPO DI INIZIATIVA	Corso di educazione alimentare
OBIETTIVO	- Riflettere sui comportamenti alimentari.
	- Scoprire l'influenza della pubblicità nelle scelte alimentari
	- Fare dei ragazzi dei consumatori consapevoli.
RISULTATO	Le merendine fornite dalla macchina a scuola sono state sostituite
IMMEDIATO	con latte, yogurth, crackers, succhi di frutta e cereali.

B

spesa del goloso	merendine, bibite, dolci e salatini
spesa guidata dalla pubblicità	prodotti (dolci e thè) comparsi almeno una volta in TV
spesa saggia	frutta, verdura e cereali

LESSICO _____

1. [a] Corso di educazione alimentare tenuto dai **docenti**.
   insegnanti
2. [b] I percorsi di acquisti si sono **svolti** in collaborazione con un supermercato.
   fatti
3. [c] Ognuno poteva **acquistare** ciò che voleva.
   comprare
4. [c] L'obiettivo era quello di fare **riflettere** i ragazzi sul tema dell'educazione alimentare.
   pensare
5. [a] Nel carrello sono finite **merendine** di ogni tipo.
   dolcetti preconfezionati che si mangiano di solito tra un pasto e l'altro.

A

Un'esperienza interessante

La nostra scuola ha **promosso** un'iniziativa molto interessante che aveva come obiettivo quello di farci riflettere sui comportamenti alimentari.

Dopo aver seguito alcune lezioni, abbiamo **fatto** tre prove pratiche in un supermercato della nostra città.

All'inizio, **ognuno** poteva acquistare ciò che voleva. In un secondo tempo, potevamo comprare solo un prodotto specifico. La terza volta, gli esperti dell'alimentazione hanno suggerito alcuni alimenti.

Infine, in classe abbiamo confrontato i prezzi, le qualità **nutritive** e il gusto dei diversi prodotti.

La prima cosa che abbiamo notato è che non sempre i prodotti più pubblicizzati sono i migliori.

Abbiamo riflettuto sulle nostre conclusioni e abbiamo chiesto che a scuola le tradizionali merendine **distribuite** dalla macchina siano sostituite con alimenti più sani, più economici e più gustosi.

B

1. L'iniziativa **è stata promossa** dalla scuola media.
2. Un corso di educazione alimentare **è stato tenuto** dai docenti.
3. Gli altri prodotti **sono stati ignorati** dai ragazzi.
4. I ragazzi **sono influenzati** dalla pubblicità.
5. Le merendine **sono state acquistate** dai bambini.
6. Gli obiettivi **sono stati raggiunti** dagli allievi.
7. Spesso l'educazione alimentare **è ignorata** dai programmi scolastici.
8. I prezzi **sono stati confrontati** dagli alunni.
9. Una scelta intelligente **è stata fatta** dagli insegnanti.
10. Tre diversi percorsi **sono stati seguiti** dagli allievi.

PER PREPARARE GLI ESAMI

STRUTTURE

A

Completa le seguenti frasi con il presente congiuntivo del verbo tra parentesi.

1. Ho paura che mi **prenda** il panico.
2. Temo che il colloquio non **vada** bene.
3. Penso che tu **debba** preoccuparti di meno.
4. E' meglio che (voi) **andiate** a letto presto.
5. Spero che gli esaminatori non **facciano** domande troppo difficili.
6. E' necessario che (lui) **studi** di più.
7. Non credo che (tu) **abbia** ragione.
8. Spero che (tu) **riesca** a rispondere a tutte le domande.
9. Mi auguro che **finisca** tutto bene.
10. E' meglio che tu non **beva** troppo caffè.

LESSICO

A

	acqua	frutta	caffè	patate	pizza	latte	formaggi	insalata	uova	spaghetti	
BERE	X		X			X					
CONDIRE				X				X		X	
MANGIARE		X		X	X		X	X	X	X	
SALARE				X				X	X		
ZUCCHERARE			X			X					
FRIGGERE				X					X		
BOLLIRE	X			X		X			X	X	
INFORNARE				X	X						

B

FRUTTA	VERDURA - ORTAGGI	ERBE AROMATICHE
pompelmo	cipolla	rosmarino
albicocca	rapa	prezzemolo
mandarancio	porro	*pandoro*
mirtillo	cetriolo	menta
ananas	melanzana	alloro
anguria	*tonno*	origano
polpo	lattuga	*anguilla*
grappa	fagiolino	basilico
lampone	*budino*	salvia

ATTIVITÀ SUPPLEMENTARI

1. Ripassa ancora una volta!
2. Vai (va') a letto più presto!
3. Condisci meno i cibi!
4. Non bere bevande gelate!
5. Fai (fa') qualche spuntino!
6. Non saltate la prima colazione!
7. Rifletti di più prima di parlare!
8. Non sgranocchiare in continuazione caramelle!
9. Bevi qualche spremuta!
10. Finisci i compiti!

Chiavi

ESAMI MOLTA VERDURA...

LETTURA

A

f 1.   Che ritmi di studio vanno seguiti?

i 2.   Come bisogna comportarsi il giorno prima dell'esame?

a 3.   Come si può controllare l'ansia?

b 4.   I tranquillanti aiutano?

g 5.   Qual è il fabbisogno di sonno durante il periodo di grande studio?

h 6.   Qual è la dieta ideale dello studente?

e 7.   Si può aumentare la concentrazione con stimolanti?

c 8.   Si può migliorare la memorizzazione?

d 9.   Sono utili i farmaci per la memoria?

LESSICO

A

1. Una risposta **positiva**   negativa
2. I **tranquillanti** non aiutano.   stimolanti
3. Gli effetti dei tranquillanti sono **imprevedibili**.   prevedibili
4. E' un metodo **logico**.   illogico
5. E' **consigliabile** una dieta leggera.   sconsigliabile
6. E' **utile** fare un po' di moto.   inutile
7. Non è **facile** controllare l'ansia.   difficile.
8. Bisogna occuparsi del **benessere** fisico.   malessere
9. Bisogna essere **ordinati**.   disordinati
10. Si può **migliorare** la memorizzazione.   peggiorare

B

1. Prima di un esame sono molto **nervoso**.
2. Prima di un esame non riesco a controllare **l'ansia**.
3. Mi trovo a **disagio** in quell'ambiente.
4. Ho sempre **paura** degli esami.
5. Quell'esame era il suo **incubo**.
6. Prima degli esami bisogna controllare lo **stress**.

C

1. Ogni anno scatta il **conto alla rovescia**.
2. Nella **manciata di giorni** che precede gli esami bisogna controllare lo stress.
3. Vediamo ciò che **va tenuto presente.**
4. Prima degli esami è necessario **scaricarsi.**
5. Un tipico augurio prima degli esami è "**in bocca al lupo**".

STRUTTURE

1. Non capisco le ragioni **per le quali** sei così preoccupato.
2. Spero che mi chiedano gli argomenti **sui quali** sono più preparata.
3. L'insegnante, **del quale** ti parlavo prima, si è trasferito.
4. L'insegnante, **della quale** ti parlavo prima, si è trasferita.
5. La materia, **nella quale** sono più preparato, è l'italiano.
6. Ho incontrato degli amici italiani **tra i quali** c'era anche Marco.
7. La scuola, **dalla quale** provieni, è prestigiosa.
8. I compagni, **con i quali** studio abitualmente, sono stati tutti promossi.
9. I farmaci, **dei quali** faccio uso, sono questi.
10. L'argomento, **al quale** mi riferisco, è un altro.

BIBLIOTECHE CONTRO LA NOIA D'ESTATE

LETTURA

A

1. Per tre settimane
2. In uguale misura.
3. Per studiare in tranquillità e per preparare gli esami.

B

1. Anziani, affezionati del giornale e studenti.
2. Romanzi e instant book.
3. Perché abituano alla lettura.
4. Perché non hanno tempo.
5. Rispettivamente per evadere dalla grigia quotidianità e per sentirsi dentro al mondo.

C

[7] Anche chi è in prigione ha la possibilità di frequentare una biblioteca.
[2] E' stato scoperto che durante l'estate la biblioteca è frequentata da molte persone: anziani, affezionati, studenti.
[1] La maggioranza delle biblioteche torinesi rimarrà aperta in estate.
[5] Le biblioteche sono frequentate, nella stessa percentuale, sia dagli uomini sia dalle donne.
[6] Moltissimi studenti vanno in biblioteca a studiare.
[4] Nelle biblioteche decentrate vengono prestati moltissimi libri.
[3] Si spera che in estate la biblioteca sia frequentata anche dalle persone che non l'hanno mai fatto prima.

STRUTTURE

1. Ci sono molti libri **a** disposizione **degli** studenti.
2. E' il nuovo direttore **della** biblioteca.
3. E' possibile tenere **a** casa un libro **per** tre settimane.
4. Frequentare la biblioteca abitua **alla** lettura.
5. Le biblioteche non sono **in** concorrenza **con** le librerie.
6. Leggo **per** passare il tempo.
7. Molti torinesi rimangono **in** città.
8. Questa è la sala **di** lettura.
9. Sono sempre **alla** ricerca **dell'**ultima novità.
10. Sono **in** tanti **a** non andare **in** vacanza.

S'IO FOSSI BABBO NATALE

LETTURA

A

Per la mia città
1. più verde
2. rispetto per l'ambiente
3. meno traffico
4. più pulizia
5. lavoro
6. sviluppo

Per l'Italia
1. politici onesti
2. servizi funzionanti
3. pace
4. ordine pubblico
5. soluzione dei problemi ambientali

Per me
1. serenità
2. felicità
3. tranquillità
4. salute

LESSICO

1. La domanda era **precisa**	imprecisa
2. Ci saremmo dovuti aspettare il **trionfo** del consumismo	sconfitta
3. Ci sono molte persone **infelici**.	felici
4. Basterebbero dei politici **onesti**.	disonesti
5. Le risposte sono **sincere**	bugiarde
6. Le domande sono **prevedibili**.	imprevedibili
7. Ci sono molte persone **allegre**.	tristi
8. C'è molta **ricchezza**.	miseria/povertà
9. Ha **vinto** molti soldi al gioco.	perso

B

A	**B**
1. [d] Se ci fosse più verde	a. sarei venuto con te alla manifestazione.
2. [e] Se ci fosse meno traffico	b. avrei dato la stessa risposta.
3. [c] Se potessimo scegliere	c. andremmo in vacanza al mare.
4. [a] Se me lo avessi detto	d. questa città sarebbe più vivibile.
5. [b] Se mi avessero intervistato	e. si circolerebbe meglio.

LO SPOT DELLE VENTITRÉ NON PERDONA

LETTURA

1. Che la pubblicità trasmessa in tarda serata è molto efficace/che la resistenza alla pubblicità trasmessa in tarda serata è molto scarsa.
2. Consiste nel fatto che i film in bianco e nero, già visti più volte, vengono seguiti distrattamente; essendo l'attenzione scarsa, la pubblicità è più efficace.
3. Perché si è stanchi, meno attenti, quindi facilmente influenzabili.
4. In alcune ore del giorno ed in alcuni giorni della settimana diminuiscono le difese nei confronti della pubblicità.
5. Quelle del mattino e della sera; il week-end e soprattutto la domenica.
6. La stanchezza e il desiderio di riposare.
7. Alle casalinghe che non hanno ancora cominciato a lavorare.
8. Agli uomini che hanno finito di lavorare.

STRUTTURE

1. Gli orari **degli** spot sono differenti a seconda **degli** obiettivi.
2. Lo spettacolo **delle** undici è più seguito.
3. In questo articolo si parla anche **dei** film in bianco e nero.
4. In questo articolo si acccenna **alla** teoria **della** minore resistenza.
5. In alcuni giorni **della** settimana la diffidenza **del** pubblico nei confronti **della** pubblicità si attenua.
6. Molti prodotti vengono offerti direttamente **allo** spettatore.
7. Lo studio porta il nome **del** massimo esperto di televisione interattiva.
8. Ci sono diversi modi di porsi davanti **alla** TV.
9. Gli spot **della** mattina sono rivolti **alle** casalinghe.
10. Gli spot **del** pomeriggio si rivolgono **ai** bambini e **alle** bambine.

COMPITI IN VACANZA SENZA STRESS

LETTURA \

A

I genitori dovrebbero...
tener conto del bisogno di autonomia dei figli;
lasciare loro una certa libertà;
aiutarli a riflettere sulle scelte;
invitarli a rispettare i patti;
offrire loro di tanto in tanto un aiuto;
cercare di risvegliare il loro interesse.
...

I genitori non dovrebbero...
richiamare continuamente i figli ai loro doveri;
rimproverarli;
minacciare punizioni;
...

LESSICO

A

1. Porsi il problema
2. Litigare
3. Impegnarsi
4. Altrettanto
5. Dimenticare
6. Chiedersi
7. Collana
8. Svolgere
9. Essere in grado di
10. Valutare

STRUTTURE

1. Ho dedicato **alla** lettura un'ora al giorno.
2. Lo hanno invitato **a** trascorrere le vacanze con loro.
3. Non hai riflettuto **su** questo problema.
4. Il problema consiste **nel** trovare una motivazione.
5. Ho pensato **a** quello che mi hai detto.
6. Continuano **a** lavorare con impegno.
7. Cercheremo **di** arrivare presto.
8. Abbiamo incominciato **a** studiare italiano.
9. Hai finito **di** fare i compiti delle vacanze?
10. Avevi promesso **di** aiutarmi!

"SPEZIA BRUCIA. CHI LA INCENDIA?"

LETTURA

1. Gli abitanti delle zone colpite e le forze dell'ordine.
2. Fuoco misto a fumo si è propagato velocemente per centinaia di metri.
3. Perché ci sono stati troppi incendi contemporanei o a distanza di pochi giorni.
4. Perché ha dimostrato scarsa capacità di coordinamento.
5. Intende sporgere denuncia contro ignoti e costituirsi parte civile nei processi contro i piromani.
6. Che alla Spezia i piromani ci sono sempre stati.
7. Vandali.
8. Dalle numerose segnalazioni giunte al numero verde antincendi.
9. Tre piromani sono stati catturati e due denunciati.
10. Per l'intervento della gente del luogo che, volendo farsi giustizia da sé, ha ottenuto come unico risultato la fuga del piromane.
11. I boschi sono sorvegliati anche di notte; le auto e le persone sospette vengono fermate e identificate.
12. Sistema di avvistamento/torrette munite di sensori all'infrarosso e telecamere girevoli; rapidi interventi di squadre anticendio a terra e in cielo.

LESSICO

1. **fuggiti** — [b] scappati
2. **scatenando** — [c] facendo esplodere
3. **piromane** — [b] chi ha la mania di appiccare il fuoco
4. **prendersela** — [a] adirarsi con
5. **snidare** — [a] scoprire
6. **hanno precedenti penali** — [a] sono stati condannati precedentemente
7. **tizzone** — [b] legno infuocato
8. **salvaguardare** — [d] proteggere
9. **al pari di** — [c] allo stesso modo di
10. **munite di** — [a] fornite di

LESSICO

ACQUA	FUOCO
sorgente	accendere
allagare	ardere
alluvione	bruciare
asciugare	cenere
bagnare	divampare
bere	fiamma
fontana	fumo
innaffiare	incendio
pioggia	scintilla
pozzo	spegnere

STRUTTURE

1. **Poiché avevano visto** in lontananza il fumo, gli abitanti del paese si sono allontanati.
2. **Mentre fuggiva** in preda al panico, si è ferito.
3. **Poiché era accorsa** la gente del luogo, il piromane si è dato alla fuga.
4. **Se si incendiano** i boschi, si provocano gravi danni all'ambiente.
5. **Mentre passeggiavano** nel bosco, videro una persona sospetta aggirarsi tra gli alberi.
6. **Se si installano** i sensori, è possibile segnalare eventuali focolai d'incendi.
7. **Dopo aver controllato** la zona, gli elicotteri sono rientrati alla base.
8. **Poiché aveva gettato** distrattamente un mozzicone di sigaretta per terra, ha provocato un incendio.
9. **Dopo aver trascorso/dopo che ebbero trascorso** una notte insonne, tutti tornarono alle loro case.
10. **Poiché erano intervenuti** i Vigili del Fuoco, l'incendio è stato domato in tempo.